GEZINSVERPAKKING

Dit Boekenweekgeschenk krijg je cadeau van
je boekverkoper.

Gezinsverpakking is een uitgave van Stichting
Collectieve Propaganda van het Nederlandse Boek
ter gelegenheid van de Boekenweek 2024.

De CHABOTTEN

Gezinsverpakking

Stichting Collectieve
Propaganda van het
Nederlandse Boek

Met dank aan Atlas Contact, De Bezige Bij,
Podium, Thomas Rap en Harminke Medendorp.

Uitgave Stichting CPNB
Omslagbeelden Marlene Dumas
Omslagontwerp DPS, Davy van der Elsken
Vormgeving binnenwerk Aard Bakker
Druk GGP Media GmbH

ISBN 978 90 5965 600 0 | NUR 301

www.boekenweek.nl

🅕 Boekenweek
𝕏 Boekenweek
◎ boekenweeknl

#eenboekkanzoveeldoen

Inhoud

Yolanda Chabot

Mamastippen

'Wat is dat, mama?'

'Dat is een moedervlek, liefje,' zeg ik tegen de vierjari-
ge Storm. 'Moedervlekken zijn vlekjes in je huid, doordat
op die plekken meer pigment zit. En pigment is het stofje
dat de huid kleur geeft.'

'O.'

's Avonds na het voorlezen vraagt Storm waarom hij
geen mamastippen heeft. Langzaam strijkt hij met zijn
vinger over mijn arm, en zoekt daarna op zijn eigen arm.

'Mamastippen komen geleidelijk, wanneer je ouder
wordt. Niet iedereen heeft evenveel mamastippen en ook
niet dezelfde. Als je ouder wordt, verandert alles. Niets
blijft.'

'O,' zegt Storm.

Hond Bril

Tijdens het wandelen in het grote bos aan de overkant van de straat vertellen ze mij hun verhalen. Verhalen over school, over studies, over een nieuw boek. Soms praten ze zachter en moet ik mijn best doen hen goed te verstaan, dan delen ze hun geheimen.

Stil, met af en toe een kwispel, hoor ik ze aan. Tussendoor druk ik mijn snuit tegen een hand of been, geef een kleine lik. Ik weet precies waar ze behoefte aan hebben. Ik ken mijn baasjes. En zij kennen mij.

Hoewel ik altijd graag met hen meeloop, vroeger zelfs meerende, weet ik niet of ik het nog lang zal volhouden.

Of eigenlijk weet ik dat wel.

Ik ben al een tijdje afscheid aan het nemen.

Het begon met mijn oren. Op een ochtend viel het me op dat de trap korter was geworden. Meestal hoorde ik een van de broertjes, of een van de oudjes, al van verre aankomen. Stappen die als tromgeroffel op de treden klonken: een aankondiging van een wandeling of van het vullen van mijn voederbak. Maar sinds die ochtend was de trap korter. Hij had nog maar drie, hoogstens vier treden. Iemand had een stukje weggeknipt.

Later merkte ik ook dat het verschuiven van een stoel,

het stromen van het water uit de keukenkraan en het dichtvallen van de voordeur zachter klonken. Zelfs mijn vrienden, die ik in het bos tegenkwam en die speels tegen me blaften, hoorde ik slechts met grote moeite. Hun geblaf leek vele grasvelden ver weg. Het was alsof iemand een dekentje over het geluid had gelegd.

Hoe graag ik het ook anders wil: mijn oren kunnen mijn familie en vrienden niet meer goed horen. Als ze dichtbij zijn en hard praten of blaffen, versta ik ze nog wel. Maar de details – een zuchtje, een chagrijnige grom, een opgeluchte ademhaling of een enthousiaste uithaal in een bijzin – ontgaan me.

Vervolgens was het mijn neus die moeilijk begon te doen. Vroeger kon ik de dagen en emoties onderscheiden aan de hand van de geuren die op me neerdwarrelden. Als ik op de marmeren vloer in de keuken lag, onder de eettafel, dan wist ik door de geur wie er waren en wat er stond te gebeuren.

Iedereen heeft voor elk plan zijn eigen geur.

Ik heb altijd genoten van de geuren van mijn baasjes. Als ik wakker schrik, even niet weet waar ik ben – dat gebeurt de laatste tijd steeds vaker – hoef ik alleen maar diep adem te halen. Dan ruik ik een flard van hen en weet ik dat ik veilig ben. Soms kan een geur als een knuffel voelen.

Hoewel ik zo m'n best doe, diep inhaleer of met veel gehijg teugen lucht neem, moet ik toch van steeds meer geuren afscheid nemen.

Ik neem afscheid van de geuren van Bart. 's Ochtends ruikt hij in z'n badjas en pyjama een beetje naar slaap, dekens en dromen. Dan weet ik dat hij thuiswerkt, aan het schrijven gaat. Stiekem vind ik dat de gezelligste dagen. Maar als hij aan het einde van de dag beneden komt en veel aftershave draagt, dan weet ik dat hij lang weggaat, en 's nachts pas thuiskomt. 'Optreden' noemen ze dat hier thuis.

Ik neem afscheid van de geuren van Yolanda. Yolanda komt heel vroeg 's ochtends beneden, nog voordat de zon gedag is komen zeggen, en draagt altijd vers gestreken kleding. Als ik die warme frisse geur ruik, plus de geur van een licht zakelijk parfum, dan weet ik dat ze de hele dag buiten de deur zal zijn. 's Avonds komt ze weer thuis, en dan ruikt ze naar andere mensen. Soms een beetje naar ziekte, maar dat komt vast doordat ze dokter is. Op feestdagen, verjaardagen en als ze naar vrienden gaat, ruikt ze heel anders. Dat is mijn lievelingsgeur: zoetig en elegant, meerdere tonen door elkaar. Eerst gaat ze lang douchen, waardoor de gangen zich vullen met de geuren van zeep en shampoo. Daarna maakt ze zich op en komen de geuren van lippenstift, mascara en poeders tevoorschijn. Soms moet ik dan een beetje niezen. En als ze met alles klaar is, uit de badkamer komt en in de hal voor de spiegel staat, spuit ze om het af te maken nog haar avondparfum op. Drie spuitjes: één achter elk oor, en één in haar hals. Ik heb geleerd dat als ze zo ruikt, ik niet te dichtbij moet komen – Yolanda denkt dat door mij haar kleren vies worden.

Ik neem afscheid van de geuren van Sebas. Hij ging als eerste het huis uit. Als hij thuiskomt, wordt er altijd veel gelachen. Hij ruikt naar boeken. Ik vermoed dat hij in zijn eigen huis veel boeken heeft staan. Als ik aan de zoom van zijn broek ruik of mijn snuit langs zijn vingers laat gaan, ruik ik papier, vind ik resten van inkt.

Ik neem afscheid van de geuren van Mau. Mau heeft

meerdere geuren. Het ene moment ruikt hij naar kranten-papier, het andere moment naar de duinen en een beetje naar zweet – dan heeft hij hardgelopen. Als ik mijn neus bij zijn sportschoenen houd, ruik ik het duinzand, het gras, de naalden van het bos, en in de verte zelfs de zee. Het is een krachtige geur, een geur die goed bij hem past. Na het hardlopen komt hij altijd even gedag zeggen. Vaak eet hij mee en dat is fijn voor mij. Soms kan ik iets on-der zijn stoel vandaan halen: een gevallen stukje brood of vlees.

Na Sebas en Mau komen Splinter en Storm, ook wel 'De Kleintjes' genoemd, al vind ik hen nogal groot.

Ik neem afscheid van de geuren van Splinter. Hij lijkt altijd te huppelen, hoewel ik weet dat hij tijdens dat hup-pelen ook geregeld is gestruikeld. Tijdens die periodes hebben we veel gewandeld. Ik word altijd vrolijk van hem, maar met mijn snuit moet ik een beetje oppassen, want soms heeft Splinter glitters en confetti in zijn haar, en dan kan mijn neus verstopt raken.

En ik neem afscheid van de geuren van Storm. Storm rook toen hij uit huis ging een lange tijd naar biertjes en bitterballen. Een gezellige geur. Regelmatig kon ik de res-ten van de avond van zijn vingers likken. Nu heeft hij een baardje dat aan mijn snuit kriebelt als ik hem een lik over zijn wang geef. Regelmatig ruikt hij naar hout en metaal, of een beetje naar plastic – dan is hij voor zijn studie met robots in de weer geweest.

Hoezeer ik ook mijn best blijf doen op het trainen van mijn snuit, het mag niet baten. Beetje bij beetje drijven de geuren die kleur geven aan het leven bij me vandaan. De wereld om me heen begint een geurloze grijze wolk te worden.

Ook mijn zicht is veranderd. In mijn ogen is mist gekropen. Steeds vager worden de gezichten. Steeds abstracter de handen die me aaien.

Soms schrik ik even als er opeens een hand is die mij een aai wil geven. Ik probeer mijn baasjes niet te vergeten, maar het is de laatste tijd wat rommelig in mijn hoofd.

Als ze de keuken inlopen, zie ik alleen nog wasachtige vlekken, de details zijn uitgewist. Een moedervlek op een arm of boven een mondhoek, een kuiltje bij een glimlach, bolle of juist slanke wangen, een bril of geen bril, lang of kortgeschoren haar, de aanwezigheid van een beginnend baardje: al die details moet ik missen. En zorgen deze details er niet juist voor dat je een dierbare echt kent?

Het is net als bij de losliggende takken en de wortels van de bomen in het bos: ik kan ze niet goed meer onderscheiden. Nog altijd probeer ik met mijn tanden een tak mee te nemen, omdat ik weet dat mijn baasjes trots op me zijn als ik met mijn staart omhoog, mijn borst vooruit en een grote tak in mijn bek naar huis loop. Maar het lukt niet meer; steeds vaker kan ik het verschil niet meer zien tussen een boomwortel en een losliggende tak. En steeds vaker doen mijn tanden pijn als ik wel iets probeer te dragen.

Ik ben bang voor het moment waarop ik mijn baasjes helemaal niet meer zal zien. Daarom heb ik met mijn ogen al afscheid van hen genomen. Af en toe, als ze niet kijken, zwaai ik ze met mijn staart al uit. Ik vrees voor de ochtend waarop ik mijn ogen open, maar niet meer kan ontwaren wie er voor me staat, wie me aanlijnt, waar de stoep eindigt en het grote bos begint.

Ik weet wat er gaande is. Net zoals ik weet waarom ze geen tennisballen meer meenemen wanneer we gaan wandelen. En waarom mijn vacht grijzer en doffer wordt, ook al lik ik mijn haren goed schoon. Ik weet waarom mijn tanden pijn doen als ik een stok probeer te pakken, waarom ik soms wakker schrik en me afvraag waar ik ben. Net zoals ik weet waarom mijn heupen moeilijk doen wanneer ik niet eens heb gerend.

Ik verlies het van de tijd. Ik ben in stukjes uit elkaar aan het vallen, zo klein als de brokjes die Yolanda mij iedere ochtend voorzet. Toch probeer ik het zo lang mogelijk uit te stellen: mijn dood. Want de dood is een estafette. Een van ons moet de eerste zijn. Daarna wordt het stokje doorgegeven. Een voor een zullen we verdwijnen.

Kennelijk heb ik als eerste het stokje beet. Wie de volgende is, weet ik niet. We zijn altijd met z'n allen een gezin geweest: de vier broers, Yolanda, Bart en ik. Maar zodra een van ons doodgaat, zijn we niet meer compleet.

Ik ben degene voor wie ze allemaal zorgen, de reden dat Bart nog dagelijks door het park loopt, de reden dat de broers vaker thuiskomen.

Dat is waarom ik mijn best doe hier zo lang mogelijk te blijven. Waarom ik mijn stok zo lang mogelijk vasthoud.

Door te blijven hijgen, af en toe m'n tong naar buiten te gooien, door m'n heupen nog net een paar stappen extra te laten zetten, kan ik ons nog even bij elkaar houden.

Mamastippen

Bart bulldozerde mijn leven in. In het begin mompelde ik nog: 'We kunnen ook leuk vrienden blijven.' Maar daar had hij geen oren naar.

Ik zag hem voor het eerst voorafgaand aan een optreden. Hij liep backstage heen en weer en repeteerde zijn teksten, in zichzelf gekeerd. Tijdens het optreden zat ik op de eerste rij, maar ik verstond hem nauwelijks. Bart sprak razendsnel, met wilde gebaren, en spuugde de eerste rijen onder. En wat ik verstond, begreep ik niet.

Omdat hij op dezelfde plek als ik zou logeren, zei ik na afloop lachend tegen een vriend: 'Wat een engerd. Ik doe mijn deur vannacht op slot.'

'Maar wat vond je dan zo leuk aan hem?' vraagt een van de jongens.

'Dat hij scheel was. En dat hij luisterde en normaal deed tegen vrouwen. Dat was ik in Leiden, waar ik studeerde, niet gewend. En hij was natuurlijk ook heel grappig. En twee jaar later bleek hij ook lekker.'

'Vind je hem nog steeds lekker?'

'Ja! Superlekker! Minstens zo lekker als aardbeien met advocaat en slagroom. Twee jaar lang zagen we elkaar niet. Achteraf bleek dat we elkaar heel erg leuk hadden gevonden, maar allebei dachten: daar trapt de ander nooit in.

Tot Bart mij vroeg of ik met hem uit wilde. Hij stelde voor om te gaan squashen en daarna samen de sauna in te gaan. Help, dacht ik, zó oncharmant, puffen in een korte broek, rood worden en zweten, alle ballen missen, en dan ook nog in je blootje de sauna in op je eerste date! Ineens had ik last van mijn knie, en gingen we gelukkig gewoon uit eten.'

Een jaar later woonden we samen. We trouwden en kregen tot onze verbijstering vier zonen, die stuk voor stuk langer werden dan wijzelf. Bomen van jongens: een bos Chabotten.

•

'Waarom wilde je eerst niet trouwen?' vraagt een van de jongens.

'Ik had niets met het huwelijk en wilde het liefst nul kinderen. Maar toen kende ik Bart nog niet. Trouwen vond ik ouderwets. En daarbij, in die tijd mochten mensen van hetzelfde geslacht niet trouwen. Dat vond ik zo oneerlijk dat ik er niets van moest hebben. Tot ik op een dag een heel grote roze auto zag staan: een Cadillac Eldorado 1959 met staartvinnen. Toen dacht ik: als we in díé auto naar het stadhuis kunnen gaan... En zo geschiedde. Ik ben getrouwd vanwege een auto.'

•

'Waarom trouwde je in het zwart?'
'Zwart is mijn lievelingskleur.'

'Maar meestal trouw je toch in het wit?'

'Ja, daarom juist.'

'Maar hoe ging dat dan in de kledingwinkel?'

'Gewoon een zwarte jurk uitzoeken en niet zeggen dat het voor een huwelijk is. Uiteindelijk heb ik het wel gezegd, en ik weet nog dat de winkelmeisjes van verbazing omkukelden.'

'Was dat in een trouwwinkel?'

'Nee, er bestonden in die tijd geen bruidswinkels met zwarte jurken. Je had alleen maar witte suikergewaden. Afschuwelijk.'

Ik neem een hap vanillevla met advocaat. 'Misschien moet ik eens aan de lijn. Dan kan ik op het Boekenbal mijn trouwjurk weer aan.'

'Heb je die dan nog?'

'Jazeker. Ik pas hem nog als ik de rits niet dichtdoe.'

En ik denk erachteraan: Toen droeg ik er hoge naaldhakken bij waarop ik kon rennen. Nu heb ik een soort skischoenen nodig om een beetje te kunnen lopen.

Bart Chabot

Ga nooit met ons op vakantie

'Vertel,' zei Marijke, sinds jaar en dag mijn manager. 'Welk spookhuis hebben jullie deze keer als vakantiewoning geboekt?'

Marijke was een Rotterdamse en niet ontvankelijk voor flauwekul. Toch was het ook haar opgevallen dat we de voorbije jaren in nogal wat vakantiehuizen waren bezocht door verschijnselen die zich niet lieten ringeloren door het verklaarbare.

'Maak je over ons geen zorgen,' zei ik. 'Dit keer hebben we een idyllisch gelegen huis uitgekozen, dat tegen een bergwand is aan gebouwd. Er zit zelfs een grot bij.'

'Een grot?' zei Marijke. 'Het zal ook eens niet. Doen jullie het er soms om? Ik zie de bui al hangen. Goed, dan wens ik jou, Yolanda en de jongens een heerlijke en onbezorgde herfstvakantie.'

Op zaterdagnamiddag kwamen we bij onze bestemming aan. Voor het weer hadden we niet naar Frankrijk hoeven afreizen: het motregende.

'Moet je zien,' zei Sebastiaan verbaasd vanaf de achterbank, 'die mevrouw zit in de regen gitaar te spelen.'

Ik omzeilde een paar kuilen in de weg, stopte onderaan de opgang naar landhuis Les Calots, deed mijn portierraam open en zag wat Sebas bedoelde. Een jonge vrouw speelde en zong mee met een lied dat uit de transistorradio kwam die voor haar op de terrastafel stond. Toen we uitstapten, legde ze de gitaar weg en zette de radio uit. Haar haar was nat, evenals haar jas, jurk en gitaar. Waarom had ze niet binnen op ons gewacht?

Ze groette ons vriendelijk, 'Rosalie! Bienvenue!', en gaf hond Bril een aai. Daarna kregen we een rondleiding: ze wees ons de vier badkamers en de hamam en legde uit hoe alle apparaten werkten. Het landhuis telde nogal wat eenpersoonsslaapkamers, op ruime afstand van elkaar. Yolanda en ik kozen voor de tweepersoonsslaapkamer op eenhoog boven de Ridderzaal, die overging in een toren.

Rosalie ging ons voor naar een hoge deur in het achterhuis, sloeg hard met een antieke deurklopper op het hout en opende de deur. Tot onze verbazing betraden we geen grot, maar een grottenstelsel. De ene zaal voerde naar een volgende, zodat we eenmaal in het achterste gewelf, de zesde zaal, ons diep in het binnenste van de berg bevonden.

'Mam,' fluisterde Splinter tegen Yolanda, 'ik wil hier liever niet alleen slapen.'

'Dat hoeft ook niet,' zei Yolanda. 'We verzinnen er wel wat op.'

'Mam,' fluisterde Storm, 'ik vind het eng hier. Kunnen we niet weg?'

'Een kleine waarschuwing,' zei Rosalie. 'In de loop van de tijd zijn er talloze gangen en gangetjes in dit bergmassief uitgehakt. Je kunt er eindeloos dwalen en vrij makkelijk de weg kwijtraken. Ga nooit in je eentje de zalen en grotten in en neem altijd een lamp of kaars mee. Beter nog: ga niet verder dan deze zalen. Zij verkeren in goede staat, en ze zijn verlicht en overzichtelijk.'

Ze richtte zich tot Yolanda en mij.

'De gangen in het massief zijn vochtig en niet goed onderhouden. Bovendien heb je er geen bereik, dus in geval van nood heb je niks aan een mobiele telefoon. Enfin, hou het bij deze zalen, ook met het oog op de kinderen.

Et voilà,' besloot Rosalie. 'How do you like it, le château?'

Ik antwoordde dat ik er verrukt van was. Rosalie leek verwonderd en opgelucht tegelijk. Dat verraste me. Waarom was ze verbaasd dat het kasteelhuis me aansprak? Had ze verwacht dat we het hier minder plezierig of zelfs onprettig zouden vinden?

Ze overhandigde ons de sleutels.

'Alors, bonnes vacances,' zei Rosalie.

Ze liep naar haar auto, legde de gitaar en de transistorradio op de achterbank, zwaaide, en weg was ze.

'En,' vroeg ik terwijl de middagstilte bezit nam van het landhuis, 'hoe vinden jullie het?'

'Doodeng,' zei Storm.

'Aan die zalen in de grot,' zei ik tegen Yolanda toen de jongens elders in huis bezig waren, 'mankeert niets, qua onderhoud. De vloer, de elektrische verlichting, de open haard bij het stenen bed in de achterste zaal, de spoelbak daar...'

'Op sommige plekken in het plafond,' zei Yolanda, 'zijn de gloeilampen uit hun fitting gedraaid.'

Het was ons beiden niet duidelijk wat dat te betekenen had.

'Wat dacht je van de schouw in de Ridderzaal?' zei ik.

'Wat is ermee?' vroeg Yolanda.

'Daar heeft kortgeleden een vuur in gebrand. Vanochtend nog. Ik voelde aan een van de half verkoolde houtblokken. Dat blok was nog warm.'

'Waarom,' zei Yolanda, 'wachtte Rosalie ons dan buiten in de regen op en niet binnen bij de haard?'

De volgende ochtend deden we de boodschappen-voor-de-hele-week in Vendôme, de dichtstbijzijnde stad, zodat we er niet voor elk wissewasje op uit zouden hoeven; hooguit om verse croissants en stokbrood te halen in het nabijgelegen dorp Lavardin.

De jongens hadden een onrustige nacht beleefd. Ze hadden één ruimte in het benedenhuis tot gezamenlijke slaapkamer omgetoverd en hun matrassen en beddengoed ernaartoe versleept, en toch hadden ze matig geslapen. Maar dat gebeurde wel vaker, de eerste nacht elders slecht slapen, en het deed geen alarmbelletje rinkelen.

'Wat vinden jullie?' opperde ik. 'Zullen we de grotten nog eens bekijken?'

Daar waren de jongens niet voor te porren. Ze speelden liever buiten op de terrassen en in het weiland nu het droog was. Binnen zitten kon altijd nog.

'Ik loop met je mee,' zei Yolanda. 'Ik wil niet dat je alleen door die zalen dwaalt.'

Ik deed de toegangsdeur open en knipte de verlichting aan. Zonder Rosalie maakte het zalenstelsel een naargeestige indruk. Aan de muur van de tweede zaal hing een oud zwaard met de punt omlaag, waardoor het van een afstandje op een kruis leek. In het schemerlicht viel me nu pas op dat er zitbanken in het gewelf waren uitgehakt, en dat er kussens op de zitjes lagen.

In een van de zijgangen van de derde zaal vond ik een

deur die niet op slot zat. Toen ik hem opendeed, troffen we een bergruimte met klapstoelen aan, zo'n vijftig stuks.

'Die stoelen lijken vrij nieuw,' zei Yolanda. 'Met de kussens op de stenen banken meegerekend kunnen hier zo'n zeventig tot tachtig mensen zitten. Maar waarom zouden ze dat doen, in dit grottenstelsel? Is het kledingrek bij de ingang je opgevallen, met die tientallen kleerhangers? Wie komen hier bijeen, en met welk doel?'

Op haar vragen moest ik het antwoord schuldig blijven.

'Wat er ook gebeurt,' zei Yolanda, 'de jongens mogen onder geen voorwaarde dit grotten- en gangenstelsel in. Doen ze het wel, dan is het vragen om moeilijkheden. Dus geen stap, ook niet met een zaklantaarn.'

Dat waren we roerend met elkaar eens.

We kwamen in de zesde zaal. Voorbij deze ruimte hield het zalenstelsel op. Er zaten verschillende deuren in de zijmuren, maar ik voelde niet de behoefte om uit te vissen of deze op slot zaten. Het viel me nu pas op dat er een sprei en een matras op het stenen tweepersoonsbed lagen. Toen ik een hoek van de sprei optilde, was deze zo zwaar van het vocht en zo beschimmeld en zwak dat de stof scheurde.

'Wat doe je?' zei Yolanda.

Behoedzaam, om verder scheuren te voorkomen, keerde ik een stuk van de sprei om. Ook de matras was vochtig en zat vol schimmelplekken.

'Het lekt hier toch niet?' zei Yolanda.

Ik keek naar het dak van het gewelf.

'Nee, ik hoor nergens water druppelen.'

'Hoe komt het bed dan zo nat?' zei Yolanda. 'Trouwens, zie je die scheuren in de matras? Het lijken wel messteken.'

Ik legde de sprei weer recht.

'Ik krijg de indruk,' zei Yolanda, 'dat deze zalen worden gebruikt voor samenkomsten, en niet van de gezelligste soort.'

Ik wees naar de stenen tafel in het midden van de zaal. En naar de spoelbak en de kranen in de zijmuren.

'Je zou zomaar kunnen denken,' zei ik, 'dat ze hier offers brengen.'

'Wie bedoel je met "ze"?' vroeg Yolanda. 'Kom, laten we teruggaan en kijken waar de jongens uithangen.'

Ik draaide de deur op slot en stopte de sleutel in mijn binnenzak.

'Er bevalt me iets niet aan dit huis,' zei Yolanda. 'En dan druk ik me nog heel zwak uit.'

De volgende middag liep ik na de lunch naar de grot. Yolanda zat op het terras in de zon een boek te lezen en de jongens speelden in het weiland aan de overkant van de weg. Kordaat opende ik de deur, deed het licht aan en luisterde of ik iets hoorde. Verderop lonkte de tweede zaal. Ik passeerde het kledingrek, liep de tweede en vervolgens de derde zaal in. Daar liet ik het bij. Ik hoorde niets, nog niet het geringste geritsel of het miniemste geruis. Opgelucht sloot ik de toegang af. Zorgen kon je je altijd nog maken. Bovendien, wie kon ons nazeggen dat-ie in een kasteel met een authentiek grottenstelsel vakantie vierde? Als deze of gene ervan hoorde, zou die ons benijden.

'Waar was je?' vroeg Yolanda toen ik op het terras plaatsnam. 'Ik wilde je al gaan zoeken. We hebben wat te bespreken.'

Ze nam een slokje van haar thee. Voor wijn was het nog te vroeg, hoewel ik best genegen was de wijzers van de klok in de keuken iets vooruit te draaien, een kleine moeite, en van twee uur vier uur te maken.

'De vraag is,' zei Yolanda, 'doen we alsof er niets aan de hand is en vieren we hier "gewoon" vakantie? Of zal ik het reisbureau bellen en zeggen dat het ons niet bevalt, en rijden we morgen terug naar huis? Wat vind je? Het is nu maandag; we kunnen nog een alternatief zoeken voor de rest van de week. Wat dacht je van de Veluwe? Of van een Waddeneiland?'

'We blijven,' zei ik. 'We gaan niet op de loop voor iets wat er niet is. Hoe vreemd sommige zaken hier ook lijken, het is niet van dien aard dat we onze biezen moeten pakken. Wat zouden we als reden bij de reisorganisatie moeten opgeven, of bij Rosalie? We hebben geen poot om op te staan. Ze zien ons aankomen.'

'Ik hoop dat we er verstandig aan doen,' zei Yolanda. 'Maar ik heb mijn twijfels. Overigens, de hamam waar jij je op verheugde, die kun je vergeten. Voor de aardigheid deed ik de deur vanmiddag open. Een en al schimmel. Ga je daar in het stoombad zitten, dan adem je schimmellucht in en dat is hoogst ongezond. Nee, die hamam is onbruikbaar.'

'Mooi,' zei ik. 'Mochten we later deze week alsnog besluiten om vervroegd naar huis te gaan, dan is dat onze klacht. Een vervuilde hamam.'

Yolanda nam opnieuw haar boek ter hand.

Na een middagwandeling door de omgeving wilde ik een muziektijdschrift uit de slaapkamer halen om op het terras bij Yolanda te lezen.

'Als je toch naar binnen gaat,' zei ze, 'wil je dan een nieuwe pot thee zetten, earl grey? Daar zou je me een plezier mee doen. Maar als je een glas wijn inschenkt, zeg ik daar geen nee tegen.'

De tijd was aan ons, er wachtte ongetwijfeld een zorgeloze herfstweek, geen muizenissen; wat kon ons gebeuren. Vandaar dat ik in plaats van naar de slaapkamer te gaan eerst naar het grottenstelsel liep en de deur weer opende. Al was het maar om mezelf er opnieuw van te overtuigen dat er in deze ruimtes niets aan de hand was. Dit was de eenentwintigste eeuw en voor de merkwaardigheden van het huis bestond ongetwijfeld een plausibele verklaring. We moesten de dingen niet groter maken dan ze waren.

Ik knipte het licht aan en keek de eerste zaal in. Toen ik de stenen zitbanken en het rek met de kleerhangers was gepasseerd en na de tweede zaal de derde wilde betreden, hoorde ik een geluid achter me dat ik niet kon thuisbrengen. Ik keek om.

Een stel kleerhangers aan het rek schommelde lichtjes heen en weer, terwijl het hier niet tochtte; laat staan dat ik iets van een windvlaag had opgemerkt. Hoe waren die kleerhangers dan toch in beweging gekomen? Dat deden ze niet uit zichzelf. Was ik minder alleen in het zalenstelsel dan ik tot nu toe had gedacht? Daar leek het op, en die notie voelde ongemakkelijk. Zo ongemakkelijk dat ik terugliep naar de eerste zaal.

Daar aangekomen schrok ik opnieuw. Bril stond voor de deuropening. Ze kwam niet naar me toe, de zaal in, ook niet toen ik haar riep, wat voor haar doen ongebruikelijk was. Ik hoefde haar nooit te roepen: als ze me zag, kwam ze uit zichzelf naar me toe en wilde dan alleen maar zo dicht mogelijk in mijn buurt blijven.

Dat lag nu anders.

Ik kon maar één verklaring bedenken. Er hield zich

iets op in het zalenstelsel wat haar niet beviel. Misschien deed ik er verstandig aan om Brils instinct serieus te nemen. Ik liep naar de ingang, deed het licht uit, sloot de deur af en controleerde het slot een tweede keer om er zeker van te zijn dat ik de toegang deugdelijk had afgesloten. Daarna borg ik de sleutel op in mijn binnenzak. Toen mijn ademhaling rustiger was, liep ik naar de slaapkamer op eenhoog, pakte mijn muziektijdschrift, zette een pot thee in de keuken, pakte een fles wijn en twee glazen en liep met een vol dienblad het terras op naar Yolanda. Bril volgde me zonder dat ik iets hoefde te zeggen en ging op het terras naast mijn stoel liggen.

Het luchtte op om buiten in de herfstzon te zitten, al las ik geen letter van het Engelse tijdschrift. Het begon een onaangenaam randje te krijgen, ons verblijf in dit huis.

'Is er iets, lieverd?' zei Yolanda na een poosje. 'Je bent zo stil. Niets voor jou.'

'Nee hoor,' zei ik.

Ik sloeg een ongelezen bladzijde om.

De daaropvolgende dagen verstreken zonder dat er zich in of rond het huis iets voordeed wat bevreemding wekte of me zorgen baarde. De jongens sliepen redelijk, en het werd donderdagavond. Naar het gangenstelsel waren we niet meer terug geweest, waardoor het bestaan ervan gaandeweg iets schimmiger was geworden, wat bijdroeg aan ieders welbevinden.

Zie je wel, dacht ik, goed dat we zijn gebleven in plaats van halsoverkop te vertrekken, anders zou de herfstvakantie op een teleurstelling zijn uitgedraaid.

'Nog twee nachtjes,' zei Yolanda. 'Wat ben ik blij dat het er bijna op zit en we onze koffers weer kunnen pakken.

Ik ben zelden zo hard aan vakantie toe geweest als nu. Eén ding weet ik wel: hier wil ik nooit meer heen, al kreeg ik geld toe.'

'Echt niet?' vroeg ik.

'Ik wilde de vakantie niet bederven, maar alleen al Rosalie die in de regen gitaar speelde… Dit landhuis is niet van haar, vertelde ze me toen jij met de jongens bezig was. Het is van de familie van haar vriend. Ze vindt het afschuwelijk, dit chateau, vertrouwde ze me toe. De jongens hadden gelijk. Het is hier dood- en doodeng.'

Dat Rosalie zelf niet erg gecharmeerd was van het landhuis gaf te denken. Dan was er kennelijk wel degelijk iets aan de hand. Wat voor raadselachtigs was hier gaande?

'En als ik je nou vertel,' zei ik, 'dat ik niet ongevoelig ben voor de geheimen van dit huis en hier best nog eens een weekje zou willen doorbrengen, wat zeg je dan?'

'Dan ga je maar mooi alleen, schat,' besloot Yolanda. 'Mijn zegen heb je. Maar na zaterdag zet ik hier geen stap meer over de drempel.'

Het mistte de volgende ochtend. Dat was de dagen er-voor ook het geval geweest, een grondmist, en de herfst-zon had er telkens raad mee geweten: geen reden tot zorg.

's Middags reden we naar Montoire-sur-le-Loir. Op Splinter na, die bleef in het landhuis. Hij zat in het laat-ste jaar van de middelbare school en wilde de naderende examenronde voorbereiden: daar was het in Den Haag te weinig van gekomen.

'Waar wil je studeren, Splint?' vroegen we.

Zijn keus viel op de Ridderzaal. Die lag aan het bo-venste, brede terras en dankzij de hoge openslaande deuren had je er veel licht. De gordijnen schoven we zo ver mogelijk voor hem open. Links van de terrasdeuren prijkte een notenhouten tafel waar alleen een kandelaar op stond; die tafel zetten Sebastiaan en Maurits voor de raampartij. Voor de zekerheid plaatsten we er een schemerlamp op, die dienst kon doen als bureaulamp, mocht de lucht onverhoopt toch betrekken. Niet dat de lamp nodig leek: de mist vervaagde al en de landerijen werden zichtbaar en waren hun oude vertrouwde zelf.

'Zo moet het lukken, toch Splint?' zei ik.

'We zijn zo terug,' zei Yolanda nadat Splinter aan zijn bureau had plaatsgenomen. 'We blijven niet lang weg.'

Ze aarzelde.

'Bovendien is Bril bij je,' zei Yolanda. 'Die ligt in de zon op het terras en let op je.'

Splinter verzekerde ons dat we ons geen zorgen hoefden te maken en dat we maar beter konden gaan; hij lag nogal achter op schema en diende hoognodig aan de slag te gaan. Hij liep mee naar buiten om ons uit te zwaaien.

'Mam,' zei Storm toen we in het centrum van Montoire voor een kerk stonden, 'wat zijn dat voor enge beesten op de dakgoten?'

We hadden de laatste boodschappen gedaan, iets gedronken op een terras op het Place Clemenceau en maakten een ommetje door het stadscentrum.

'Dat zijn waterspuwers,' legde Yolanda uit. 'Als het hard regent en de dakgoten kunnen het niet aan, dan spuit het water uit hun bek naar beneden, vandaar "waterspuwers".'

'Maar waarom hebben ze van die griezelige gezichten?' vroeg Storm.

'Uit bijgeloof,' antwoordde Yolanda. 'Om de boze geesten te verjagen. Of om ze op veilige afstand te houden.'

Met die uitleg was Storm tevreden.

'Toch ben ik er niet gerust op,' zei Yolanda tegen me toen de jongens buiten gehoorsafstand voor ons uit liepen, 'Splinter in dat grote huis, met alleen Bril bij zich.'

'Dan gaan we toch terug?' zei ik.

Toen we thuiskwamen troffen we Splinter aan op het laagst gelegen terras naast de weg, met Bril aan zijn voeten. Hij zag eruit alsof hij zich wild was geschrokken en had geen aansporing nodig om zijn verhaal te doen.

'Nadat ik jullie had uitgezwaaid,' vertelde Splint, 'liep Bril met me mee naar binnen en kwam ze bij me liggen. Ik zat te leren – jullie waren nog geen uur weg – toen ik gestommel boven me hoorde, in jullie slaapkamer, recht boven mijn bureau. Gedempte voetstappen, alsof iemand op sokken of op blote voeten liep. O, dat zijn pap en mam, dacht ik, en ik besteedde verder geen aandacht aan het gestommel. Tot ik besefte: pap en mam zíjn er helemaal niet! Die kunnen het onmogelijk zijn, boven. Maar als zij het niet zijn, wie is het dan wel?! Ik schoof mijn stoel naar achter en op hetzelfde moment begon Bril te blaffen. Ik ben naar buiten gerend, de terrastreden af, met mijn boeken en laptop onder mijn arm, en ben hier gaan zitten.'

'En Bril?' vroegen Yolanda en ik.

Bril was tekeergegaan tegen het plafond, vertelde Splint, en was mee naar buiten gerend, waar ze bij hem was komen liggen, terwijl ze af en toe naar het huis had gegromd.

'Ik had de indruk,' zei Splint, 'dat we vanuit het huis in de gaten werden gehouden. En toen Bril zo blafte en gromde… Onzin natuurlijk, maar ik moet zeggen: blij dat jullie terug zijn.'

Kort daarop werd hij zelfs nog iets blijer met onze terugkeer.

'Mam, pap!' riep Storm vanaf het terras voor de Ridderzaal, waarvan de deuren openstonden. 'Kom eens kijken!'

'Wat is er?' vroeg Yolanda.

'Mam, je vertelde vanmiddag toch dat waterspuwers zulke kwaadaardige gezichten hebben om boze geesten te verjagen?'

'Waarom vraag je dat?' zei Yolanda.

We liepen via het terras de Ridderzaal in.

'Zie je die monsters boven de schouw?' zei Storm terwijl hij omhoogwees. 'En die opengesperde bekken onderaan de balustrade?'

De koppen hingen zo hoog dat ze Yolanda en mij niet eerder waren opgevallen.

'Waarom hangen die beelden hier dan binnen,' zei Storm, 'met hun gezicht naar de zaal toe gekeerd? Willen zij dat de kwade geesten juist in de zaal blijven? Proberen zij ze hier in huis vast te houden?'

Het waren geen vragen waar Yolanda en ik, noch zijn oudere broers Sebastiaan en Maurits, zo een-twee-drie een geruststellend antwoord op wisten.

'Het wordt er hier steeds gezelliger op,' zei Yolanda ten slotte.

Ik moest aan Marijke denken.

De jongens zaten al in de auto toen Yolanda en ik de volgende ochtend het huis afsloten en de sleutels, zoals met Rosalie was afgesproken, onder de voordeurmat legden. Het was nog vroeg: we zouden zonder hotelovernachting terugrijden naar Den Haag. Ik wierp een laatste blik op het landhuis. Waren Splinter en Bril gistermiddag hier echt alleen geweest? Misschien moest ik na terugkeer in Nederland Marijke eens bellen; haar nuchterheid zou me allicht goeddoen.

Toen ik een paar weken na onze thuiskomst uit belangstelling het vakantiehuis op internet opzocht, bleek het op satellietfoto's te zijn geblurd. Navraag bij het reisbureau waar we Les Calots hadden geboekt, leerde me dat het landhuis zonder opgaaf van redenen door de eigenaar uit de verhuur was gehaald.

Wij waren de laatste huurders.

Zulke dingen gebeurden vaker, begreep ik van de reisorganisatie, en ik besteedde er verder geen aandacht aan.

—

Vier dagen later ben ik alleen thuis. Yolanda is naar haar dinsdagavondcursus; de jongens hebben afspraken en zullen laat thuiskomen. Ik kan ongestoord schrijven in mijn kamer op tweehoog. Het werk vordert gestaag.

De klok op mijn bureau geeft zes voor halfelf aan als ik iets tegen de grond hoor kletteren, op de tegelvloer van onze badkamer halverwege de overloop. Ik sta op om te kijken wat er aan de hand is. Achter de half openstaande badkamerdeur ligt een kleerhanger op de vloer. Hoe is die daar beland? Het luchtrooster is dicht en het tocht niet.

Ik raap hem op en hang hem terug aan de haak aan de binnenkant van de deur.

Maar ik begrijp dat daarmee de kous niet af is. Ik loop naar beneden, in de veronderstelling Bril in het halletje of bij de voordeur te zullen aantreffen, waaks. Maar niets van dat al. Bril slaapt een apostelslaapje. Ongebruikelijk voor haar om niet wakker te worden als er in huis iets speelt wat afwijkt van het gangbare.

Terwijl ik onverrichter zake de trap op loop, hoor ik boven een geluid dat ik niet kan thuisbrengen.

Ik hoef niet af te reizen naar het huis bij Lavardin. Die moeite kan ik me besparen.

Wat er in de vakantiewoning huisde, heeft me weten te vinden.

Mamastippen

Op de eerste dag van de vakantie gaat het vaak mis.

De boel ontploft, na alle dagelijkse stress, vakantievoor-bereidingen en extra lange werkdagen om nog van alles op tijd af te ronden. Tassen inpakken, hotels boeken, route uit-stippelen, wassen draaien, dorre planten wegkieperen, bu-ren informeren, veel boeken uitzoeken, hond inladen, de helft van de bagage van de kinderen weer uit de kofferbak halen, zelf je badpak vergeten. Bart is natuurlijk allang klaar met het inpakken van zijn tandenborstel en zwembroek.

Veel komt op mij neer: autorijden, kaartlezen, de baby de borst geven, tassen uitpakken en de vakantiebedden opmaken.

Kortom, na een ontploffing belandt de trouwring in het struikgewas van het vakantiehuis. Bart slaapt een nacht in de schuur en de volgende dag vallen we elkaar weer in de armen.

De vakantie kan beginnen.

•

'Waar bleef je zo lang, Bart?' vraag ik terwijl ik uitgeput in bed lig met onze pasgeboren zoon.

'Ik heb in de stad een speen gekocht, en als verrassing voor Sebastiaan een abonnement op de *Donald Duck* genomen.'

'Schat, hij is zes dágen oud, het duurt nog jaren voordat hij de *Donald Duck* kan lezen.'

'O, maar dan lees ik hem toch zelf voorlopig? Hartstikke leuk.'

Die middag loopt Bart al pratend met Sebastiaan in zijn armen heen en weer, om onze ontroostbare Oliebol even te laten ophouden met huilen.

'Kijk meneertje, dít is een boekenkast,' zegt hij heel zachtjes tegen de baby, wijzend op de Billy die ik naast de commode heb gezet.

Het leek me de perfecte basisuitzet voor een baby: een op de kop getikt tweedehands bedje, een zelfgetimmerde commode die hoog genoeg is voor Bart en mij zodat we geen rugpijn zullen overhouden aan het verschonen van de vele luiers, en een boekenkast. Ook onze andere jongens zullen later in dat eerste bedje belanden en worden verschoond op die commode. Maar ieder kind krijgt direct een eigen boekenkast.

'Kijk meneertje,' hoor ik Bart fluisteren, 'dit is een boekenkast, hier staan allemaal boeken in. Papa heeft ook een boek geschreven. Dat is natuurlijk het beste boek.'

Sebastiaan Chabot

Hier, ergens

'Kijk, jongen,' zei mijn vader. 'Zie je het?'

Het was vroeg in de lente en nog ochtend, en iedereen was jong.

We zaten op het Lange Voorhout in Den Haag. Mijn vader schreef een column over de hofstad voor de regionale pagina's van een landelijke krant. Wij – zijn vier jongens – mochten om beurten met hem mee, de column zoeken.

Vandaag was ik negen en mee. Zien wat mijn vader zag, dat was wat telde. Dat hij zou zeggen: 'Ja, jong. Dat is het. Je ziet het dus ook.' Ik probeerde m'n ogen zo groot mogelijk te maken.

Verspreid over verschillende terrassen zaten grote mensen. De een had een paraplu tegen de regen, de ander een hoedje tegen de zon. Sommige stellen waren stil, alsof ze alleen waren; verderop was een man druk in gesprek met zichzelf. Dit moest het schoolplein voor volwassenen zijn, en blijkbaar hadden ze nu Grote Pauze.

Maar het was mijn vader nog niet om mensen te doen. Voor zijn column had hij eerst de omstandigheden nodig, het weer: de zon scheen, of zij scheen niet.

Vandaag had de zon nagenoeg vrij spel. De lindebomen langs het Voorhout waren nog stijf van de winter, maar ze hadden de lente al in hun bol. Onder de bomen lag een veld van sneeuwklokjes. Je kon zien waar zich groepjes voor het leven vormden en welk sneeuwklokje er alleen voor stond en om zonlicht zou moeten knokken.

'Beetje zoals buitengym op school, toch pap?'

'Zeker, Sebas. De lente doet wat hij kan, die gaan we dit jaar niet inruilen. Maar kijk nog eens goed,' wees mijn vader omhoog. 'Altijd met de lucht beginnen.'

Ik knikte en keek omhoog. Ik zag een paar loshangende wolken die elkaar niet leken te willen kennen, en een groepje wolken dat zich haastig uit de voeten maakte.

'Dat is het! De lucht zit ónder de blauwe plekken,' legde mijn vader uit. 'De lucht zit onder de blauwe plekken en van de dader ontbreekt elk spoor.'

Zo leerde hij ons kijken, en we wilden het zo graag zien: dat ene scheurtje in het gangbare.

Als we de weersomstandigheden hadden vastgesteld, reden we door om te kijken wat er in het hoofd van de stad en haar inwoners omging.

—

Als je zonder bestemming door Den Haag reed, kwam je vroeg of laat uit bij de zee. Het werd al zomer en ik zestien. De zee maakte zich ergens druk om; keer op keer kwam hij schuimbekkend verhaal halen, maar de kust bleef kalm. Ze hadden vaker samen in zwaar weer gezeten, en ook wel in zwaarder weer. De meeste stormen kon je uitzitten; als je elkaar af en toe liet uitwaaien was het grootste deel van de lucht al geklaard. Nadat de zee was uitgeraasd en tot bedaren was gekomen, staarde hij berustend naar de kust en de deining van haar duinen.

'Je moeder zegt altijd: liefde is elke dag opnieuw beginnen. Daarom vind ik het ook zo wonderlijk dat ze elke
ochtend weer voor mij kiest. Ik bedoel, zonder bril ben
ik hartstikke scheel, om maar iets te noemen. Kom Mau,
zullen we hier gaan zitten, of liever daar?'

We liepen over het terras van een Scheveningse
strandtent, op zoek naar een plek waar we niet zouden
opvallen en toch tussen de mensen zaten. Het begon al
druk te worden. Papa ging opzij zodat een vader en zijn
dochter erlangs konden, die anders zichzelf er wel langs
hadden gelaten.

'Ga je nog sorry zeggen dat je me zo lang in de regen
hebt laten wachten?' vroeg de dochter.

'Ik zeg helemaal nergens meer sorry voor,' stapte haar
vader met grote passen over het terras. 'Behalve voor die
blauwe maandag dat ik met je moeder was getrouwd.'

'Laten we daar verderop gaan zitten,' besloot papa.

Aan het tafeltje naast ons zaten de twee eigenaren van
de strandtent en hun nieuwe, Oekraïense kok. Met een
gast bespraken ze haar aankomende feestavond.

'Ik ben toentertijd stiekem getrouwd, hè,' vertrouwde
de gast het drietal en iedereen die het wilde weten toe.
'Dus ik heb nooit een groot feest gehad, en toen dacht ik:
nu zijn we tien jaar verder en hebben we het nog niet ge-
vierd... Eigenlijk wil ik gewoon dansen. Dat heb ik al zo
lang niet gedaan. Ik wil natuurlijk ook wel eten, maar ik wil
vooral dansen.' Haar paardenstaart, die nog uit haar mid-
delbareschooltijd leek te stammen maar inmiddels grijs
was geworden, deed het op haar rug voor. 'Dus dat is num-
mer één: dansen. En als de mensen aankomen wil ik dat
ze direct een glas krijgen. Ik vind het zo armoeiig als ze op
zoek moeten naar een drankje. Hebben jullie champagne?

Dat vind ik zo feestelijk, dan danst het in m'n hoofd al. Dat doe ik thuis ook weleens, stiekem, in m'n hoofd dansen.'

Aan een tafel schuin tegenover ons staken twee jongens een nieuwe sigaret op door hem tegen de nog gloeiende oude sigaret te drukken.

'Hè, gatsie,' zei een dame twee tafels verderop. Ze had een scheef hoedje op haar hoofd. Met haar zomerhandschoen wuifde ze de rook uit haar gezicht. 'Dat vind ik nou zo vies.'

Dat leken de jongens eigenlijk ook te vinden, maar zolang ze samen waren en met niemand anders, deelden ze een sigaret en waren ze onverwoestbaar jong.

'Het doet me altijd denken aan mijn eerste overleden man, die rookte als een ketter,' zei de vriendin van de dame. Ze bewaarde een kleine hond in een kleine handtas. 'God, wat ben ik blij dat ik van die vent af ben.'

'Jij bent gewoon blij dat je überhaupt van de man af bent.'

'Daarover gesproken, Hanny, moet je luisteren.' De dame met het hondje wees op haar opengevouwen krant. 'Ze willen van God een vrouw maken.'

'Ben je mal.'

'Het staat er echt, op pagina vier.'

'Dan wordt het Godelieve.'

'Weet je dat ik het heerlijk zou vinden om in God te geloven, echt hoor. Soms zie ik ze zo gelukzalig omhoogkijken. Terwijl, tja, ik staar altijd maar wat naar m'n voeten.'

'Nou, als je het mij vraagt... Wij moeten het zelf doen. God of Godelieve gaat daar geen verandering in brengen. Ik heb gewoon een wandelstok genomen, dat vind ik steun zat. Want ik zal je eerlijk zeggen, ik heb het gevoel dat ik mezelf nog naar het kerkhof zal moeten dragen.'

'Eigenlijk wel leuk, hè. Godelieve. Voor m'n gevoel is ze er al.'

Ik zag hoe papa een papieren servet pakte en een regel opschreef: *Even vielen de dames stil, alsof er een bandje moest worden teruggespoeld.* Toen vouwde hij het servet twee keer dubbel en borg het zorgvuldig op in de binnenzak van zijn jas.

'En, hoe is het verder met je?' vroeg de dame met het scheve hoedje aan haar vriendin.

'Vroeg je dat daarstraks ook niet?'

'Ach, wat maakt het uit. Ik ben het alweer vergeten; hoe het met jou gaat, hoe het mij gaat.'

'Nou, met mij is het niet zo erg als in de kranten.'

Ze keken beiden in de richting van de zee, waarachter zich de rest van de wereld ophield. Ook zij waren, zolang ze samen waren, onverwoestbaar – daar hoefden ze geen sigaret voor op te steken.

'Ik zie het helemaal voor me, dankjewel,' zei de vrouw met de dansende paardenstaart die naast ons haar feest had besproken. 'Ik ben trouwens ook bijna jarig.' Ze stond op, waarop de strandtenteigenaren en de Oekraïense kok ook overeind kwamen. Een van de eigenaren wees naar de sportschoenen van hun nieuwe kok. 'Hoe kan het nou dat je hier al een week in de keuken staat, Nastia, en alles vies hebt gemaakt, je schort, je broek, tot je sokken aan toe, maar dat je schoenen nog zo smetteloos wit zijn?'

'O,' legde Nastia uit. 'Dat komt: dit is mijn enige paar schoenen.' Ze glimlachte een glimlach die zo te zien nog op een nachtkastje in een ander land lag.

'Ja, jong,' vertrouwde papa me toe. 'De meeste mensen willen reizen, liefst zo ver mogelijk, om iets van de wereld te zien. Maar als je echt wat wilt zien, moet je niet horizontaal reizen, maar verticaal. Als je alle mensen op één plek kent, ken je iedereen: de vuilnismannen en de politici, de dirigent van het lokale dweilorkest en de man die 's ochtends de cafévloer dweilt, de dichters en de vissers aan het einde van de pier.'

Aan de kustlijn, net buiten gehoorsafstand, sjokte een gestalte tegen de wind in. In haar kielzog sprong opgetogen een grote hond – ze waren aan zee! – maar op het moment dat de gestalte naar haar omkeek, viel de hond onmiddellijk stil; de hond waakte over haar baas door nauwkeurig met haar bui samen te vallen.

'Is dat mama niet, met Bril?' wees ik naar de kustlijn.

'Ja Mau, nu je het zegt,' zag ook papa. 'Hoe ze loopt, zo voorovergebogen. En helemaal in het zwart. Dat moet haar haast wel zijn.'

'Moeten we haar niet roepen?'

'Nee, laat haar maar even haar gang gaan. Soms moet je even uitwaaien. Dat vond ik toen al zo mooi aan je moeder. Hoe het lijkt alsof ze onzichtbaar gewicht met zich meedraagt. Haar hele wezen loopt tegen de wind in, zie je dat? Terwijl het helemaal niet waait. Dat had ze al toen ik haar leerde kennen; in haar lach zat een hoop verwachting, maar haar handen waren koud. Alsof ze op jonge leeftijd de dood al een beetje doorhad. Want die komt natuurlijk niet pas op je laatste dag met z'n hoed in z'n hand aanzetten. Nee, die trekt bij je geboorte al bij je in.'

Mama kon inderdaad buien hebben die niet rijmden met het weer. 'Binnenkamerbuien' noemden we die, dan gingen we even buiten spelen. Op een dag legde ze aan ons uit dat wij gewoon van haar konden weglopen, maar dat zij in zichzelf opgesloten zat. Zij kon geen pauze van zichzelf nemen. Toch had ze er eigenhandig voor gezorgd dat haar vier jongens de vrolijkheid van haar man hadden meegekregen, en maar met mondjesmaat haar zwaarmoedigheid.

Wanneer we hoofdpijn hadden, omdat we boos waren of verliefd, kwam ze bij ons zitten en zei dat we een beetje van onze pijn aan haar moesten geven – zij kon het er makkelijk bij hebben. Als je veel pijntjes had, viel een beetje schoolpleinpijn niet zo op. Wel vroeg ik me af of ik, als de tijd daar was, ook zoveel geduld zou kunnen opbrengen. Zou ik op haar oude dag haar pijn willen overnemen om haar een beetje te ontzien? Ik voelde aan mijn voorhoofd; ik had helemaal geen ruimte voor hoofdpijn.

'Daarom doe ik er af en toe een schepje bovenop,' zei papa, terwijl hij mama nakeek tot ze een dun zwart vraagteken was en bijna uit ons zicht verdween. 'Ze moet het van mijn optimisme hebben, daar kan ze zich in noodgevallen aan optrekken. Kijk Mau, nu is ze weg.'

Ik knikte, maar zag nog altijd een klein zwart figuurtje voortsjokken, daar waar het Noorderstrand ophield maar de Wassenaarse Slag nog niet begon.

'Denk je je column te hebben, loopt in de verte je roman voorbij. Daarom moet je blijven kijken. Het is nooit af.' Papa keek naar de plek waar ze uit zijn zicht was verdwenen. 'Altijd als ik je moeder zie lopen, zie ik haar weer voor het eerst.'

De zee sliep licht en ook de kust bleef liggen. De zon daalde af zonder iemand te wekken.

'Zullen we nog even langs een oude vriend van me rijden?' stelde papa voor, terwijl hij zijn stoel naar achter schoof. 'Daar doen we hem een groot plezier mee.' Eigenlijk had ik met een klasgenoot afgesproken en had mijn vader zijn column al, maar ik wist dat hij niet wilde dat de dag eindigde. Als het zou moeten zou hij, als ik even niet keek, eigenhandig de zon een uurtje of twee terugduwen. Liefst zelfs twee jaar, of helemaal terug tot onze vroegste jeugd, maar niet helemaal tot in zijn eigen jeugd.

Bij het opstaan verloor hij even zijn evenwicht, maar ik kon hem net op tijd bij zijn arm overeind houden.

—

Begraafplaats Oud Eik en Duinen, waar Couperus lag en een aantal van mijn vaders beste vrienden, was opgedeeld in straatnamen. De grafstenen hadden nummers. Je kon bijvoorbeeld komen te liggen op de Wilgenlaan 7 of de Kastanjelaan 104, en als je geluk had woonde je aan de Hemelboomlaan, dicht tegen Couperus aan.

Zo ontstond een gemeenschap, een dodendorp; als je de hoek om kwam, bekroop je het gevoel dat er onder de grond iets stilviel, een ondergronds geroezemoes dat weer zou aanzwellen op het moment dat je het kerkhof-hek achter je dichtdeed.

'Kijk, Splint,' wees papa naar een oude eik met vuur-rood haar. 'Daar zou ik wel willen liggen, als het zover is.'

Papa bezocht graag begraafplaatsen. Op vakantie in Zweden of Frankrijk struinden we gezamenlijk het lokale kerkhof af op zoek naar de naam van een jong gebleven danseres of een stilgevallen dichter. Altijd zag papa een plek waar hij wel zou kunnen liggen, onder de zilveren bladeren van een jonge berk of in de glooiing van een heuvel, zodat hij ver de wereld in kon kijken.

Vroeger bezocht hij graag de grote beroemde begraafplaatsen met de grote beroemde namen. San Michele bijvoorbeeld, het dodeneiland van Venetië waar Ezra Pound lag en waar je met een fluisterboot heen kon varen, of het graf van Oscar Wilde op Cimetière du Père-Lachaise; nachtwandelaars kochten rode lippenstift uit het één-euro-mandje van een avondwinkel op de hoek om 's nachts, in het geheim, hun roodgestifte lippen liefdevol op de nog warme steen van zijn graf te drukken, in de hoop iets in hun eigen leven wakker te kussen.

Maar de laatste tijd bezocht papa liever de kleine, overzichtelijke begraafplaats van een gehucht waar slechts een paar familienamen rondwaarden en waar de natuur de overhand had. Hij kon een gat in de lucht springen – 'Moet je nou kijken, jongens!' – als hij op de bemoste naam van een oude dichter stuitte die hier zijn laatste dagen had gesleten, en nog een gedicht of twee aan het gehucht had gewijd. 'Ja,' fluisterde hij dan. 'Ik begrijp het, hier, onder de uitgebloeide bloesem.'

Met de herfst kwam ook de namiddag; het licht begon te vallen, regenwolken lichtten donker op.

'Zo, Splint. Even zitten hoor.' We namen plaats op een kerkhofbankje van koud, onbewoond steen. 'Heel even op adem komen.'

'Kijk pap,' wees ik aan. 'Het donker hangt onder de bomen te drogen. Voor later.'

'Ja,' zei papa, terwijl hij zich oprichtte. 'Ja jong, nu je het zegt, dat heb je goed gezien. Dat moet je opschrijven, Splint. Voor je het kwijt bent.'

Een bundel strijklicht streek langs de graven; in het licht dartelde fijnstof, alsof het lichtvoetig danste op een voor ons onhoorbare melodie. 'Ah,' zei papa zacht.

'Remco is er ook.' En hij glimlachte erachteraan: 'Helemaal uit Amsterdam komen waaien.'

'Moet je kijken, pap, is dat mama niet?'

'Je mag niet wijzen op een begraafplaats, dat weet je toch.'

'Zie je haar dan niet?'

'Waar precies?'

'Ze komt deze kant op.'

'O ja, ja.'

'Nee, dáár, pap.'

'Niet wijzen. O, daar is ze, ja. Nu je 't zegt, dat zou haar weleens kunnen zijn.'

We wachtten tot mama haar bloemen had neergelegd en zich bij ons voegde.

'Wat een regen,' zei mama, terwijl ze haar jas over de kerkhofbank uithing. 'M'n jas wil maar niet drogen.'

'O, bij ons heeft het helemaal niet geregend.'

'Nou, ik ben doorweekt.'

'Ja,' voelde papa. 'Je jas is inderdaad helemaal doorweekt.'

'Ik laat hem hier maar even drogen in de zon. Nu heb ik het alleen koud, maar dat is niet erg. Ik heb het altijd koud, jas of geen jas.'

'Weer of geen weer,' mompelde papa erachteraan.

Toen m'n moeder naast m'n vader op het kerkhofbankje plaatsnam, lieten de laatste bladeren los.

'Wat moest ik ook alweer onthouden?' vroeg mama zich hardop af.

'Ik was net met Mau op Scheveningen,' begon papa.

'Met Splint,' verbeterde mama hem.

'En ik dacht: na al die jaren zal het wel op zijn. Sta ik voor de zee, wat denk je?'

'Nou?'

'Meteen een regel!'

'Laat horen.'

'*Ik keek naar de zee, die licht sliep, en zag de ademhaling van de dood.*'

Mama glimlachte.

'En?'

'Prachtig, schat.'

'Mooi?'

'Heel mooi.' M'n moeder kon m'n vaders hand pakken zonder hem aan te raken.

'Ik had je even niet herkend net,' zei papa. 'Toen je over de begraafplaats kwam aanlopen. Splint wees je aan.'

'Dat had ik vanochtend toch gezegd? Ik zou met Godelieve naar de begraafplaats wandelen en daarna even bloemen leggen bij Hanny.'

'Hanny, Hanny.' Papa probeerde een gezicht bij haar naam te zien, maar de enige Hanny die hij zich voor de geest kon halen was bij zijn weten nog in leven.

'Ik dacht je overigens wel op het strand te zien lopen, vanochtend.'

Mama dacht even na. 'Nee, dat was ik niet. Maar nu ben ik het wel.'

'Ik dacht: je bent vast de hond uitlaten.'

'Bril is al jaren dood, schat.'

'Kijk, pap.' Ik wees naar een vrije ruimte tussen twee graven. 'Daar zou jij wel kunnen liggen. Over honderd jaar.'

'Nou, ja,' overwoog papa. 'Tja.'

'Niet?'

Ergens achter ons, in de kapel, klonk een voorbarig kuchje.

'Laten we maar gaan,' zei mama. 'Het is al laat.'

'Ja, jong,' begon papa, terwijl hij zich probeerde op te richten. 'Je moet "ja" zeggen, tegen de dingen. Want voor je het weet – help me eens overeind.'

Toen we het kerkhof verlieten lag het laatste licht als sneeuw op de takken.

—

Het was vanzelf winter geworden, maar de eerste sneeuw viel niet onbevangen uit de lucht; eerst werd de rest-sneeuw van de vorige winter opgemaakt.

De column schreef mijn vader niet meer; hij was terug-gekeerd naar zijn gedichten, waar hij ook mee begonnen was. Voor gedichten hoefde hij het niet te zien, hij wist het al. Hij hoefde er alleen maar voor te gaan zitten, op een ge-sloten zomerterras, zijn stoel aan een ketting aan de muur, en te wachten tot hij zichzelf de regels zou influisteren.

'Je was vroeger alleen stil als ik je op mijn arm droeg en m'n gedichten repeteerde,' vertelde papa. We zaten aan de keukentafel, die uitkeek op de tuin. 'Wist je dat, Storm? Dan liep ik eindeloos met je door de kamer; je had het onmiddellijk door als ik stopte met dichten.' Hij nam zijn bril van zijn gezicht en legde hem op tafel. 'God, wat kon je dan huilen. Je hield niet op tot ik je weer op m'n arm zette en verder repeteerde. Weet je nog, Yolanda?'

'Je wiegde ze rustig met je gedichten, ik luisterde al-tijd in de kamer ernaast. Heerlijk was dat, eindelijk een momentje voor mezelf.'

'Toen je een jaar of twee was,' ging papa verder, 'kwam je naar ons toe en zei: "Ik ook dicht." Ik heb je toen uit-gelegd dat het andersom was: "Nee jong, het is: ik ook open." Een dichter dicht niet, een dichter opent.'

Hij zocht met zijn hand over het tafelblad naar een pen – 'Pas op voor je thee, pap' – en leek iets uit een vorig leven te willen opschrijven.

'Waarom heb je eigenlijk champagne bij je, Storm?' wilde mama weten. 'Er valt toch niks te vieren?'

'Of is het al oudjaar?' vroeg papa.

'Ik dacht: we hebben even niets te vieren. Heerlijk.' Af en toe kon een van mama's binnenkamerbuien bij ons doorschemeren. Die kon je maar beter proberen voor te zijn, en tegenkleuren. 'Kan je je bril niet weer opzetten, pap?'

'Nou jong, het maakt nauwelijks meer verschil. En daardoor voel ik hem na al die jaren ineens weer op m'n neus drukken.'

'Van mij hoeft het niet, hoor,' zei mama. 'Nu heb je van die leuke scheve ogen.'

Dat mocht wel zo zijn, toch was hij zonder bril wel heel erg Bart, en minder papa. 'Doe hem toch maar op, al is het maar voor de vorm.'

'Wil je nog thee, Bart?' vroeg mama. 'Dan drinken we straks de champagne, als iedereen er is.'

'Ja, doe maar. Ik heb nog een kopje. Storm, kan jij mijn kopje pakken? Het staat hier ergens.'

—

Niet veel later viel nieuwe sneeuw; binnen afzienbare tijd zou de hele wereld wit en donker zijn. Papa bewoog zijn hoofd gewoontegetrouw naar het keukenraam om naar buiten te kijken, maar zijn zicht wankelde voor zijn ogen. 'Dichter en dichter,' fluisterde hij tegen zichzelf.

'Wat moest ik ook alweer onthouden?' vroeg mama zich hardop af. Ze kwam terug uit de tuin, waar ze net het graf van Bril had ontdaan van de vorige sneeuw. Ze veegde een traan van haar gezicht die ook van de kou kwam. Ik voelde een stormachtige, draagbare hoofdpijn opkomen. 'O ja,' schoot het haar nu te binnen. 'Dat het leuk is, allemaal.'

'De stad is helemaal dichtgesneeuwd, pap,' zei een van ons vieren. 'Je zou met een hele grote vinger door de straten willen schrijven.'

'En in de tuin kan je precies zien waar mama heeft gelopen.'

Papa vond met zijn hand zijn pen. Hij zag haar weer lopen, voor het eerst, licht voorovergebogen tegen een wind die er niet stond; ze liet diepe voetstappen achter in de sneeuw van zijn binnenwereld.

Niet alleen mijn vaders zicht raakte op. Hij had al besloten dat het Oud Eik en Duinen zou worden, dicht bij huis. De deur stond op een kier, de wereld op de tocht – maar zover liet hij het nog niet komen. Eigenhandig schepte hij de sneeuw in stevige vuilniszakken. Hij hing de bladeren terug aan de bomen en draaide het daglicht omhoog. De lantaarns knipperden even door het plotselinge tegenlicht, en vielen toen stil.

De zon scheen; het was nagenoeg lente en de mensen leken jong.

Papa zette zijn bril op. Hij moest zo de hond uitlaten en daarna zijn column nog zoeken. Misschien wilde een van de jongens wel mee.

Mamastippen

'Voelde je je een prinses toen je trouwde?' vraagt Splinter.

'Een prinses?' Ik lach. 'Nou nee, Bart was de prins. Hij vergat me bij het stadhuis.'

Vanuit de tuin komt Bart binnen: 'Wat zei je?'

'Echt waar,' benadruk ik. 'Hij vergat me. Diverse media stonden ons op te wachten en Bart liep zó' – ik spreid mijn armen – 'de camera's tegemoet. Ik zat in die roze Cadillac en hij doet niet eens de deur open! Toch, Bart?'

'Nou… vergat, vergat. Dat is wel wat veel gezegd.'

'Hoor je, Splint? Het is niet onwaar!'

•

'Waarom heb je jarenlang je eigen achternaam behouden?' vraagt Maurits.

'Nou, ik wilde niet trouwen, dus ik was zeker niet van plan Barts achternaam aan te nemen. Bovendien benaderden mensen een getrouwde vrouw anders dan een niet-getrouwde vrouw. Idioot.'

'Waar zat hem dat dan in?'

'Bij een sollicitatie bleek bijvoorbeeld waarde te worden toegekend aan je burgerlijke staat.'

'Echt? Hoe merkte je dat?'

'Ik solliciteerde na mijn afstuderen naar de functie van bedrijfsarts bij een multinational. De arts die het gesprek afnam vond me nog zo jong. Verontwaardigd zei ik: "Dan had u mij niet moeten laten komen, want mijn geboortedatum staat op mijn cv. En ik heb wel wat anders te doen, ik ga volgende week trouwen." Toen werd hij wakker. "O, ga je tróúwen?!" zei hij. "Geweldig nieuws! Kun je per 1 januari beginnen?"'

·

'En terwijl je fulltime werkte, kreeg je vier zonen?'

'Jullie kwamen gewoon, maar gelukkig wel één voor één.'

'Dan was je de hele tijd met zwangerschapsverlof?'

'De eerste keer niet. Omdat ik zwanger was, werd mijn contract niet verlengd. Dat was wel een drama, hoor. Daardoor hadden we nauwelijks een inkomen.'

·

'Waarom wilde je eigenlijk geen kinderen?' vragen de jongens.

'Kijk maar in de spiegel!' zeg ik lachend.

'Wat vind je er nu van dat je kinderen hebt?'

'Het leukste wat er is. Kijk maar in de spiegel!'

Maurits Chabot

Lieve chaos

Er is zelden iemand bij ons thuis geweest. Zelfs een lood-
gieter lieten we slechts bij uitzondering toe. Na een relatie van bijna vier jaar heeft mijn lief nog geen stap in mijn
ouderlijk huis gezet. Ook mijn vrienden en eerdere ge-
liefden zijn vrijwel nooit voorbij de voordeur gekomen.

De meeste woningen die potdicht zitten, hebben iets
te verbergen. Het zijn huizen die onheil verhullen. Wij
houden er geen wereldschokkende praktijken op na. We
hebben niets te verstoppen, behalve onszelf. Ons thuis is
een burcht. Het is de plek waar we kunnen schuilen, waar
andermans blik ons niet kan raken.

Onze woning bestaat niet zozeer uit kamers, maar uit
voetpaden. Die voetpaden zijn smal: we bouwden muren
van meubels en torens van boeken tussen onszelf en de
rest van de wereld.

In feite leidt mijn familie twee levens. Een ervan speelt
zich af in de schijnwerpers van de media. Het andere is een
teruggetrokken bestaan, een afgeschermd leven achter
gesloten gordijnen, met nooit gebruikte balkons, dichte
deuren en kamers vol curiosa. Niemand kijkt er over onze
schouder mee, geen mens die de vrolijke chaos ziet. Thuis
zijn we vrij. Geen van ons hoeft iets te presenteren, er is

geen beperkte zend- of spreektijd en we hoeven geen extra tijd te zoeken op de klok. We roepen naar de tv tijdens sportwedstrijden, discussiëren over politiek en literatuur, en aan het eind van de avond weten we niet meer wie wat zei, noch wanneer of waarom, en vertellen we allemaal dezelfde verhalen anders, maar we lachen hard en omhelzen elkaar en we hoeven niets te benoemen, omdat we elkaars stilte verstaan. Hoewel niemand ons daar ziet, is thuis de plek waar alles echt is. Mijn familie is op haar mooist als er niemand kijkt.

Eén keer drong de buitenwereld ons huis onder valse voorwendselen binnen. Op een vroege novemberavond – ik ben een jaar of vijf – klinkt er gebons. Sint en Piet staan voor de deur. Piet draagt een koffer. We ontvangen ze in de woonkamer, waar Sint me een cadeautje geeft terwijl Piet door de voor- en achterkamer loopt, zijn koffer stevig in de hand houdend. Mijn moeder dirigeert hem na een minuut of vijf naar de gang. Zodra ze terugkeren, komt mama naar me toe: 'Zeg maar dag tegen de Sint, Mau. Sinterklaas moet nu heel gauw weg, naar andere kinderen.' Jaren later hoorde ik dat Sint en Piet een tv-ploeg vormden: de koffer bleek een verborgen camera. Dankzij de bemiddeling van een advocaat werden de beelden nooit uitgezonden, maar na die avond ging de deur van ons huis definitief dicht.

—

We wonen in een rijtjeshuis, de huizen staan schouder aan schouder in onze straat. Aan de overkant begint het bos. De bomen staan er netjes bij elkaar, alsof een fotograaf ze heeft gerangschikt voor een familieportret. In de winter kun je door het bos de eerste duintoppen zien. Daarachter ligt de kust. Als de wind onze kant uit waait, kun je de zee door het open raam ruiken.

Het huis bestaat uit twee delen. Een bovenwoning van drie verdiepingen, waar we wonen tot ik een jaar of zestien ben, en de bredere benedenverdieping die mijn ouders er later bij kopen. Het smallere bovenhuis staat als een toren op het benedenhuis.

Onze wereld begint met een halletje en een glazen tochtdeur. Daar volgt na iedere binnenkomst wat wij 'de bestorming van Bril' noemen. Bril is groot als een kleine beer. Dikwijls dendert ze uit enthousiasme dwars door de tochtdeur, wurmt zich kwispelend tussen onze benen en geeft met haar kop bij wijze van liefkozing een ram in ons kruis. Zodra we dat hebben doorstaan, roept mama steevast vanuit de keuken: 'Zachtjes met de tochtdeur!'

We zitten altijd in de keuken, een van de weinige plekken in huis waar we allemaal passen. Als we met z'n zessen zijn, verlengen we het blad van de keukentafel met een uitschuifpaneel. Mama heeft de tafel zelf gemaakt. Hij heeft goudgeschilderde poten en een roze tafelblad. Er zijn visjes op geschilderd in alle kleuren. Als we allemaal inschikken en onze ellebogen tegen elkaar aan drukken, passen we nét. Omdat Bril altijd onder deze tafel tussen onze benen gaat liggen, kunnen we onze voeten amper kwijt. Zo zitten we met z'n zevenen op die twee vierkante meter in onze keuken.

Meestal kookt papa, dan zit hij aan het eind van de middag al aan de keukentafel om sperziebonen af te toppen of aardappelen te schillen. 'Ik kook voor een weeshuis,' zegt hij, terwijl hij grote pannen op het fornuis zet. Met vier zonen en hemzelf meegerekend zijn er vijf grote eters, alleen mama schept bescheiden op. Papa heeft vijf klassiekers: gerechten die hij goed kan koken en die hij ons in wisselende volgorde voorzet.

Pasta met broccoli, en soms een ei.

Aardappels met bloemkool.

Sperziebonen met rijst en pindasaus.

Rijst met groenten: paprika's, champignons, courgette en aubergine. Hij gaart de groenten urenlang op laag vuur, de brij die daaruit ontstaat noemen we 'prut'. Meestal eten we er rijst bij, soms is het pasta met prut.

In de winter kookt papa Hollandse kost. Boerenkool. Hutspot. Zuurkool. Andijviestamppot. We weten altijd precies welke ingrediënten we op ons bord krijgen. Geen saus, geen peper of zout, niets aangemaakt of opgedirkt. Papa kookt altijd puur.

Soms leert een vriend hem met kerst een nieuw gerecht. Dan is hij daar zo enthousiast over dat we het de weken erna iedere avond eten. In veertien dagen krijgen we bijvoorbeeld tien keer pastei met ragout. Daarna hebben we er zo genoeg van dat we het nooit meer eten.

Als papa moet optreden, kookt mama. Ze maakt wat ze zelf 'glij-eten' noemt. Een maaltijd waarop we niet hoeven te kauwen, het eten slikken we zo naar binnen. Rode kool of spinazie uit pot, of doperwten met aardappelpuree. We zijn er groot mee geworden, met het pure en het glij-eten: alle vier zijn we bijna twee meter lang. Zoals een vriend het ooit verwoordde op een boekpresentatie: 'Allemachtig, er loopt hier tien meter Chabot.'

Stil zijn we alleen wanneer we eten. Verder is er bij ons thuis altijd lawaai. De dynamiek in onze familie heeft een klank: ons gelach vult elkaar aan, het geproest van de een stuwt het schateren van de ander voort. Zo gaat het ook bij discussies. We zijn een continue kakofonie, niemand komt zomaar aan het woord. Ik moet mijn best doen om mijn woorden ertussen te proppen.

Tegenover de keuken op de begane grond is een badkamer. Die badkamer heeft twee deuren. De deur die naar de bibliotheek leidt, is gebarricadeerd met boeken. Diverse deuren in ons huis gaan nooit open. In de winter houden we zoveel mogelijk kamers dicht om de warmte te behouden, en we kunnen niet bij alle kasten, omdat er meubels voor staan. De deuren van zeker drie servieskasten kunnen nét ver genoeg op een kier om er met één hand een glas uit te manoeuvreren. Niet alles bij ons thuis heeft haast.

Ook op de eerste verdieping zijn vele deuren dicht. De toegang naar de zitkamer op eenhoog is permanent gesloten: een ladder en rollen stof blokkeren de toegang. Aan de sponning bungelen kleerhangers en een kroonluchter in allerlei kleuren. Wie de zitkamer wil betreden, loopt om via de gang en de achterkamer. De deur naar de wc verderop in diezelfde gang gaat nooit open, potten verf barricaderen de entree.

In de woonkamer op de eerste verdieping komen we zelden nog, we gebruiken die ruimte vooral als pakhuis voor mooie spullen. Er staan drie bankstellen, vele stoelen – soms op elkaar gestapeld, om ruimte te besparen – er liggen kroonluchters, posters, affiches en enkele decorstukken uit het theater. Een vrijstaande kapstok voor dertig personen die vroeger de ingang van een school sierde, staat nu midden in de kamer. Mama is een verzamelaar van alles: de vertrekken liggen vol met wat ze mooi vindt. Het is verbazingwekkend hoeveel spullen er achter één voordeur passen.

Veel stoelen – zetels eigenlijk – hebben versierde arm- en rugleuningen. Toen een antiekzaak in hartje Den Haag haar deuren sloot, hield de winkel een opheffingsuitverkoop: alles moest weg. Mama heeft de stoelen gered. Ze stoffeerde de zitmeubels eigenhandig opnieuw en sindsdien is geen zetel hetzelfde. Op de meeste mogen we niet zitten. Het is antiek, dus kwetsbaar. We hebben stoelen om naar te kijken.

Ons huis heeft kamers in alle kleuren: op het knalgele behang in de woonkamer buitelen planeten en manen over elkaar, in de voorkamer dezelfde patronen op felroze. In dat vertrek kleuren de gordijnen bij het behang. In andere ruimtes is de ene muur oranje, de andere roze, elders rood of zachtgeel. Toen mama de aannemer voorstelde de muren van de kamers in verschillende kleuren te schilderen, verklaarde hij haar voor gek: het zou onrust geven, niemand werd daar gelukkig van. Maar mama zette door en toen de klus was geklaard, nam de aannemer foto's van alle kamers. Sindsdien sieren onze muren zijn brochure.

De meeste ramen in ons huis zijn permanent afgedekt: we zijn niet slordig met geheimen. In diverse kamers hangen de gordijnen van plafond tot vloer, alsof de ramen een jurk dragen. We houden met deuren onze wereld dicht en schermen met gordijnen de inkijk af.

Voordat onze ouders het benedenhuis erbij kochten en voordat mama de kleine keukentafel maakte, aten we altijd in de bovenkamer aan een pingpongtafel. Een professionele, van het merk Heemskerk. De tafel was groot als een schip. Mama strooide glitters en papieren sterretjes op de tafel, daarna legde ze er een doorzichtig zeil over. Het eten was altijd versierd. De laatste keer dat we aan die tafel zaten, is alweer lang geleden. De ene helft van de ping-pongtafel staat nu opgeklapt. De andere helft gaat gebukt onder uitgeknipte columns, theaterkaartjes, brieven, cadeauverpakkingen, schoenendozen, foto's en memorabilia van overleden vrienden. Er ligt een mobiele telefoon van Martin Bril die tijdens een etentje stukviel. En een zakdoek van Remco Campert met opdruk: *zakdoek voor één traan*. Overleden schrijvers zijn bij ons nooit dood.

Aan de pingpongtafel smeerden we zelf boterhammen voor school en papa pakte ze voor ons in: hij kantelde zijn hoofd, nam een teug lucht, hield een leeg boterhamzakje voor zijn mond en blies het in één keer de lucht in. Iedere ochtend werd mijn plastic zakje een parachute.

Bij het ontbijt zat ik meestal naast papa. Soms pakte ik zijn bovenarm. Dan drukte ik de zijkant van mijn hoofd zo hard mogelijk tegen hem aan, mijn gezicht net iets boven zijn elleboog. Ik wilde zo dicht mogelijk bij hem zijn.

Door het grote raam van de voorkamer keken we vroeger naar buiten – vooral 's avonds, wanneer een man die Ardy heette papa kwam ophalen voor zijn theateroptredens. Dan werd papa een performer en verdween hij het grotemensenleven in. Ardy was de chauffeur en de sterkste man van Rotterdam en hij paste op mijn vader als een waakhond. Vlak voor zijn vertrek liep papa vaak langs mijn slaapkamer. Zijn gezicht droeg dan geen lach meer. Steevast stelde hij dezelfde vraag: 'Pas je goed op mama?' Voor vertrek zwaaiden wij hem uit, dan zwaaide hij meestal drie keer. Eerst vanaf de stoep, dan wanneer Ardy achter het stuur plaatsnam. Daarna stapte ook papa in, draaide zijn raam omlaag en stak zijn hand uit boven het dak. Mijn vaders hand zwaaide tot de auto de hoek om was.

Als papa 's avonds niet hoefde op te treden, bracht hij me met mama naar bed; dan zwaaiden ze voor mijn slaapkamerraam de dag uit. Papa zwaaide meestal alsof zijn leven ervan afhing. Linksonder, rechtsboven, rechtsonder, linksboven: zijn handen wuifden enge gedachten weg. Vaak deed mama daarna de deur nog een keer open en fluisterde door het kiertje: 'Lekker slapen, aapje.' Samen deden ze de dag op slot.

Zelf slapen ze op de tweede verdieping. Het bed van mijn ouders neemt het overgrote deel van hun slaapkamer in beslag. Rond de boxspring loopt een smal voetpad, daarnaast liggen kleren. Ook liggen er stapels boeken en op die bergen staan fotolijstjes. Aan de muren prijken tekeningen die we maakten als kind en aan de deuren van alle kasten hangen jasjes van papa en jurken van mama.

Wie jarig was mocht in het midden van het bed zitten, tussen onze ouders in. De drie broers namen dan plaats op de rand; aan het voeteneind lagen de cadeaus. Zo begon ieder jaar onze nieuwe leeftijd.

Vanaf de gang op diezelfde verdieping leiden twee deuren naar de kamer van De Kleintjes: Splinter en Storm delen een slaapkamer. De ene deur verleent direct toegang vanaf de overloop, de andere komt uit op de badkamer. De deur vanaf de gang is al tien jaar dicht. Wie de slaapkamer wil betreden, moet door de badkamer.

Aan het einde van de gang is papa's schrijfkamer. Shirts en optreedjasjes hangen aan de deur. Doordat de kleren opbollen, moeten we naar links leunen om zijn werkkamer in te kunnen. Op de vloer ligt een tapijt van muziekbladen: *OOR, Uncut, NME, MOJO* en *Rolling Stone*. Dit is de kleinste kamer van het huis, niet veel groter dan een bezemkast. Als papa aan zijn bureau zit, kan er net één iemand achter hem staan.

In papa's werkkamer zijn de witte gordijnen met daarop lachende apen, zebra's en giraffen geen dag open geweest. Na dertig jaar weet ik nog steeds niet wat zijn uitzicht is. Het meeste licht in zijn kamer komt van een peertje aan het plafond, van een schemerlamp op het bureau en van het scherm van zijn computer. Zijn pc is niet verbonden met internet. In zijn schrijfkamer keert papa zijn rug niet naar de wereld, maar kiest hij radicaal voor zijn eigen hersenspinsels. In die ruimte wordt hij dichter: daar kan hij voorbij de dagen denken en schrijft hij geregeld de wereld recht.

Mijn slaapkamer, gelegen op de derde verdieping, heeft als enige geen gordijnen. De rolgordijnen vielen ooit naar beneden, daarna hebben we ze nooit meer opgehangen. In ons huis leven we om de mankementen heen: wij voegen ons naar de woning, niet andersom. Altijd kon ik naar buiten kijken. 's Ochtends beeldde ik me in dat de dag zich door mijn ramen heen het huis in tilde. 's Avonds klom ik vaak op de vensterbank, dan staarde ik naar de huizen aan de overkant, naar de wolken en de vliegtuigen boven Den Haag; 's nachts tuurde ik naar de sterren en dan droomde ik hoe groot de wereld was.

Vanuit mijn slaapkamerraam keek ik ook uit op het dak van papa's schrijfkamer. Vrijwel altijd lag er een plas water op. 's Avonds leek het door de weerspiegeling in het water alsof er een stukje van de nacht was afgescheurd en op het dak van de schrijfkamer was gevallen. Papa had de sterren altijd dichtbij.

Op de gang tussen Sebas' en mijn kamer staat een smalle muur. Alle muren op onze zolderverdieping zijn dunner dan beneden en de kamers zijn er kleiner – het huis lijkt hier op dieet. Op die dunne muur hield mama jaarlijks onze lengtes bij. Ze mat ons op, zette met een pen een streepje op de muur en noteerde de datum ernaast.

Sebas:	01/01/2001, 34 kg, 158 cm.
Maurits:	28/01/2006, 44 kg, 162 cm.
Splinter:	11/01/2009, 45 kg, 165 cm.
Storm:	01/01/2009, 46 kg, 158 cm.

Daarboven schreef ze de lengtes van papa en haarzelf op. Omdat wij groeiden en zij krompen, kwamen we steeds dichter bij elkaar.

Eén keer kwam mijn toenmalige vriendin op bezoek.

Ze heet Sanne en behalve haar lach is alles aan haar zacht. Sanne mag alleen naar mijn slaapkamer onder de voorwaarde dat ze een blinddoek om heeft tot ze in de kamer is. Zodra ze ons huis betreedt, bind ik een oranje sjaal voor haar ogen. Op mijn aanwijzingen loopt ze voor me uit. Links de trap op, niet rechts stappen, want dan sta je op een schilderij. Pas op: met je linkerknie dreig je nu het verzameld werk van Campert omver te kukelen. Even bukken, anders hang je met je haren in een kroonluchter. De tocht gaat goed tot de tweede verdieping. Daar stoot ze met haar been tegen een tafel in de gang. Een stapel handdoeken en een voorraad shampooflessen donderen om. Een lawine van Andrélon. Sanne schrikt, trekt de blinddoek af en kijkt even rond. Veel valt er niet te zien, want mama heeft uit voorzorg de deuren van alle kamers dichtgedaan. Met mijn handen voor haar ogen loopt ze de derde en laatste trap op, bukkend voor het wasgoed dat in het trapgat te drogen hangt. Dan is ze binnen.

Sanne was de eerste geliefde die binnen mocht komen, en ze zou de laatste zijn.

Dit was ons huis. Hier begon voor mij de wereld. We leerden er recht tegen alle regels in te denken. Het is de plek waar mijn jeugd eindeloos leek te duren en waar de tijd toch niet lang genoeg bleek. Wanneer je gewend bent steeds door je drie broers en ouders te worden omringd, ben je daarna altijd een beetje alleen. Van de rij in de supermarkt tot aan het wachten bij een bushalte: voor wie is opgegroeid in een groot gezin lijkt het leven daarna stiller.

Drie weken per jaar wonen we nog samen. Iedere zomer reizen we als gezin naar Zweden, waar we een blokhut huren aan een groot meer op een plek met veel bomen en weinig mensen. We slapen in stapelbedden, we lezen en zwemmen, en al zijn mijn broers en ik allen rond de dertig, we trekken nog steeds ieder jaar gewapend met stokken en waterpistolen het Zweedse woud in. Daar, in de Scandinavische bossen, mogen we iedere zomer weer even het gezin zijn.

Geregeld ga ik bij mijn ouders op bezoek, dan duizel ik de kamers door en heb ik heimwee naar de tijd waarin we thuis woonden. Het gestommel van De Kleintjes in hun kamer, Sebas schrijvend aan zijn bureau verderop in de gang, papa en mama een verdieping lager in hun grote bed.

Nu we nieuwe levens zijn begonnen, groeit er steeds meer tijd tussen ons in. Buitenshuis worden onze levens groter, binnen wordt de ruimte kleiner. Er ligt veel, maar het is nimmer te vol. Het is onze lieve chaos – en in alles wat er ligt zijn wij.

Mamastippen

Soms was ik het zat. 'Jongens,' riep ik dan. 'Nu heb ik genoeg van dat geruzie. Allemaal naar je eigen kamer.'

Drie seconden later waren ze weer beneden en na een
paar minuten begon het gedonder van voren af aan.

Daarom stelde ik time-outs in. Een Haags kwartier-
tje naar je kamer en geen seconde te vroeg terugkomen.
'Denk eerst maar eens na over wat er is gebeurd.'

Vanaf het moment dat de jongens konden schrijven
kregen ze een opdracht mee. 'Schrijf maar een opstel of
een brief over wat er is voorgevallen.'

Binnen een minuut ontving ik allerlei briefjes met de
strekking: *Het is zíjn schuld. Híj deed stom. Híj trok als eerste aan mijn haar.*

'Oké,' zei ik dan. 'Nu wil ik graag lezen wat jóúw aan-
deel is in het geheel. Wat heb jijzelf wel of niet gedaan, en
hoe kan het anders?'

Daarmee veranderde de inhoud van de opstellen. De
jongens bleven langer weg en dachten na. En het hielp.

Ze leerden om op te schrijven wat hen bezighield.
Ook als ze niet alles konden of wilden zeggen. Dan vond
ik 's avonds laat een brief op mijn kussen.

Er liggen hele stapels opstellen en brieven bij ons
thuis. Ik weet alleen niet waar.

Het begon met een 10-. Een tien mín! Voor een schitterend werkstuk over Ecuador, waar we met het gezin een familie in het Andesgebergte hadden bezocht in het kader van het Foster Parents Plan.

'Laat eens zien,' zei ik.

Ik las het werkstuk en schreef onder het merkwaardige cijfer: *Prachtig!* En ik plaatste er een streepje bij: *10+*.

Zo begon het.

Er kwamen rapporten met cijfers, aanmerkingen en verhaaltjes van de juf, die ik voorzag van een positieve reactie. Voortaan schreef de juf zelf de hele beschikbare ruimte vol, maar Bart en ik kladderden ons enthousiaste commentaar er gewoon omheen.

We kregen er lol in. 's Avonds zetten we ons geregeld aan de keukentafel om een stapeltje schriften en werkstukken te voorzien van vrolijke opmerkingen.

Nooit heeft de school gereageerd. Maar de jongens wel: zíj verheugden zich op onze woorden.

●

In de keukenla lag een stapel briefjes, ondertekend maar ongedateerd. Huiswerk- en afwezigheidsbriefjes voor school.

Aanvankelijk schreef ik elke keer keurig op waarom de jongens te laat waren, hun huiswerk niet hadden gemaakt, de les hadden gemist of toch écht eerst naar de kapper moesten.

Maar in de ochtendspits werd me dat te veel gedoe,

dus zei ik: 'Schrijf zelf maar op wat er aan de hand is, dan onderteken ik het wel.' Op een gegeven moment heb ik een hele stapel lege briefjes ondertekend en teruggelegd in de la. 'Jongens, verzin maar wat moois en zet er een datum onder.'

Storm Chabot

Handvast

I

Het was elf jaar geleden dat ik opa voor het laatst een bezoek had gebracht. Mijn oma was overleden nog voordat ik kon praten.

Deze zomer moest ik voor een driedaagse opdracht in Heerhugowaard zijn. Aan het treinraam trokken groene stukken Nederland voorbij, snel afgewisseld door oud-Hollandse dorpen en uit de grond gestampte Vinex-wijken. De NS zou mij elke dag heen en terug brengen: samen kwamen we langs veel gehuchten en geruchten.

'Station Heiloo,' riep de conducteur om. Hier woonde opa. Zou ik hem even gedag zeggen?

Ik dacht aan de soepkommen snoep die hij altijd voor ons klaarzette. Op een lading snoep mocht ik niet rekenen, zeker niet bij onaangekondigd bezoek. Zou hij het waarderen als ik na elf jaar weer eens langskwam? Voor ik er erg in had, floot de conducteur de treindeuren dicht. Opa moest nog even wachten. Tot morgen wellicht.

Pas op de derde dag besloot ik op de terugweg bij station Heiloo uit te stappen. Daar was geen omroepen van een conducteur voor nodig.

Op het station belde ik mama. Ook zij was lang niet bij haar vader op bezoek geweest.

'Welke bloemen zal ik kopen, mam? Namens ons?'

'Geel, niet te groot, gewoon een bosje. En doe hem veel liefs.'

Het lukte me niet om het bij een klein bosje te houden: ik kocht een twintigtal fier overeind staande zonnebloemen bij een winkel tegenover opa. Met de bloemen tegen mijn borst geklemd en met mijn werktas in de hand liep ik zijn terrein op.

Ik kwam vroeger regelmatig in Heiloo, samen met mijn broers. Of alleen met Splinter, als papa en mama ervoor hadden gekozen mijn twee oudste broers thuis te laten om opa enige Chabotdrukte te besparen.

Naarmate ik dichter bij opa kwam, voelde ik meer schaamte. Elf jaar lang had ik niet de moeite genomen om bij hem langs te gaan. En nu waaide ik zomaar aan. Zou opa me nog wel willen ontvangen? Of had het hem te lang geduurd? Het begon zachtjes te regenen, alsof niet ik bij hem, maar opa bij mij aanklopte.

'Mam,' – ik had de bloemen en mijn tas op de grond gelegd en haar opnieuw gebeld – 'ik kan opa niet vinden!'

Ze begeleidde me naar het graf van opa en oma. De regendruppels liepen over mijn wangen.

'Dag opa, dag oma,' mompelde ik. Het was 30 juni en – hoe kon ik het vergeten zijn – precies een dag voor opa's sterfdag. 'Elf jaar, opa, het is wat. Je ligt er goed bij hoor, samen met oma. Mooi.'

Het viel me op dat de kerk en het kerkhof flink waren uitgebreid, de zaken liepen goed. Naast de kerk stond een nieuw gebouw en ook de bloemist van zo-even floreerde.

Ik legde de zonnebloemen namens mama en mij bij

het voeteneind van opa en oma. Ik miste opa. Sinds zijn sterfdag had ik besloten dat hij in plaats van overleden en begraven was, gewoon kerngezond in zijn 'opa-stoel' zat te wiebelen. Thuis voor de tv, kijkend naar een willekeurige sport die toevallig ergens werd beoefend. Niks overleden, niks begraven. Opa zat thuis, hoog en droog én met beide benen op de grond, klaar voor onverwacht bezoek.

Ik dacht aan de keren dat ik hier met Splinter was geweest. Toen alleen voor het graf van oma. Splinter en ik konden niet altijd stilte opbrengen voor het verdriet van het kerkhof en zijn bezoekers. Wij keken onze ogen uit en zagen juist levendige avonturen: 'Splint, deze heet Daan, die heeft echt een mooie steen', 'Wow, Storm, moet je zien, uit deze vrouw groeit een boom!'

'Weer gestolen,' zei een man enkele graven verderop, 'verdomme.'

We waren de enigen op dit pad en ik voelde me de aangewezen persoon om te vragen wat de man kwijt was.

'Speelgoed,' antwoordde hij, 'al voor de vierde keer. Gisteren lag het er nog. Ik kom hier elke dag, begrijpt u.' Zijn ogen waren waterig.

Ik voelde me betrapt. Wat deed ik op een kerkhof in Heiloo met een tas in mijn hand?

'Het spijt me te horen van uw verlies,' zei ik tegen de man. Zou hij me van de diefstal verdenken?

De man keek naar mijn tas en lachte. 'Nee, jij zult het niet zijn geweest. Ik had gisteren Donald Duck en Mickey Mouse neergezet, daar ben jij al te oud voor. Vandaag wilde ik zijn autootjes neerleggen' – hij viste een rood sportwagentje uit een tas bomvol speelgoed – 'maar ik kan dit niet meer aan, alles gaat terug naar huis.'

Ik keek naar de grafsteen achter hem. BAS, las ik, VIJF JAAR. Een langer leven was Bas niet gegund geweest en zelfs zijn speelgoed werd hem nu nog ontnomen.

Ik vertelde de man dat ik mijn opa weer eens had bezocht.

'Kon je hem nog vinden?' zei hij lachend. 'Je hoort het vaak genoeg: komen mensen na jaar en dag terug, is het graf geruimd.'

Ik dacht aan mijn zoektocht. Ik was opa even kwijt geweest en dat lag niet aan opa: die had zich de afgelopen jaren niet verstopt of verschoven.

'Je had eerder moeten komen, denk ik dan. Ik kom hier nog elke dag.' Hij zuchtte, pakte de tas vol speelgoed en beende de begraafplaats af.

Ik liep terug naar opa en oma en zei hen gedag. 'Ik kom snel terug – beloofd. Slaap lekker, voor nu.'

Op station Heiloo keek ik nog eenmaal om. Toen de deuren achter me sloten en de trein in beweging kwam, zette ik opa, kerngezond, terug in zijn leunstoel.

II

Het had stevig geregend in Zweden en het groen gaf af. De bomen lieten al het een en ander vallen, maar het meeste bladerwerk hing er nog. Tijdens onze zomervakantie was de herfst voorzichtig begonnen.

Onze jaarlijkse vakantie speelde zich steevast af in dezelfde Zweedse blokhut aan hetzelfde Zweedse meer, omringd door veel bomen en weinig mensen.

Mijn drie broers, vader, moeder, Bril en ik zaten na

de regen in de tuin. We waren allen gekleed in een oranje pakje van badstof. Met een korte broek, blouse en zelfs een bijpassende vissershoed verschenen we goedgemutst onder de wolken. Alleen Bril ontsprong de dans. Onze kostuums hadden we in een Zweedse lingeriewinkel gekocht. Daar hadden we onder grote hilariteit besloten de oranje outfits te passen en zowaar ook te kopen – iets waar zelfs de winkelmedewerker geen vragen over durfde te stellen. De daaropvolgende dagen hadden we onszelf zonder blikken of blozen in ons oranje kloffie gehesen.

De paar buren die in de wijde omgeving te vinden waren, hadden waarschijnlijk al zo hun bedenkingen over onze mentale gesteldheid. Zo wist team Vuur – verantwoordelijk voor het klaarmaken van alles en meer op de barbecue – met onmetelijke rooksignalen te communiceren met de rest van Scandinavië. Ook hadden we met iets te grote regelmaat de borreltijd vervroegd en stonden we met halveliterblikken scheepsbier te scrabbelen en te badmintonnen tegelijk. Bovendien doorbrak Splinter regelmatig de serene rust door op een roze XL-opblaasflamingo op het meer te dobberen, terwijl hij hier en daar elegant wuifde naar verbouwereerde toeschouwers op een steiger. Dus toen een paar buren gisteren nietsvermoedend langs onze blokhut wandelden en wij hen – ons niet meer bewust van onze oranje verschijning – vrolijk groetten, was er weinig blijk van wederzijds enthousiasme. Dat gezin spoort niet, zag je ze denken – en geef ze eens ongelijk.

Gekleed in het oranje persten mijn schrijvende familieleden elke middag inkt uit hun pen. Zo nu en dan krabbelden ze wat woorden op, om vervolgens langdurig naar bomen en bossen te turen in de hoop nieuwe inspiratie op te doen.

Dicht bij het vuur in de buitenhaard schreef Splinter in een notitieboek, met en ongetwijfeld ook in allerlei kleuren. Sebastiaan schommelde heen en weer voor zijn laptop, broedend op de volgende regel, die lang op zich liet wachten. Zodra zijn zin op papier stond, verscheen er een grootse lach op zijn gezicht. Een lach waar we soms zo behoefte aan konden hebben. Uitgelaten liep hij dan langs alle gezinsleden, zijn vrolijkheid uitdelend.

Ik zag Maurits kritisch naar zijn laptopscherm turen. Maurits goochelde anders met zijn woorden. Hij nam de wereld aandachtig in zich op, legde de wereld haar tekortkomingen uit en duwde haar in de gewenste richting.

Papa keek Zweden lang aan en dook vervolgens in een Engelse thriller. Regelmatig zag ik hem overvallen worden door een zin of een golf van inspiratie. Dan haastte hij zich naar zijn pen en iets waarop hij kon schrijven. Het was alsof de woorden hem achternazaten. Soms schreef papa op een servet dat hij bij het ontbijt nagenoeg schoon had weten te houden.

In het ouderlijk huis in Den Haag werd ik 's nachts geregeld wakker van gestommel. Door het raam van mijn slaapkamer naar de gang zag ik dan een schim van papa voorbijstrompelen. Een paar stappen later hoorde ik hem het licht in zijn schrijverskamer aanknippen, dan bleef het even stil, knip, licht uit, en stommelde hij weer terug naar zijn bed. Ontdaan van de woorden kon hij in rust verder slapen.

Maar meestal wachtte hij niet op inspiratie en veegde hij verhalen van de straten bijeen, stripte ze van voorbijgangers af en zag in elke weershoedanigheid een toekomstvoorspelling. Hij verheerlijkte de meest desolate plekken – en daar waar mensenmassa's rondkrioelden, zat papa verscholen in een hoekje. Dan pende hij op servetten van de cafetaria waar hij zich ophield. Op servetten, zo begonnen al papa's verhalen.

Mama zat op haar stoel in de schaduw van het huis. Ik voelde dat zij hier in Zweden op haar gelukkigst was, omringd door haar mannen en Bril. Zou ik haar hier in gedachten naartoe brengen, mocht ze net als opa overleden zijn? Ze keek nu mij aan, glimlachte, gaf een knipoog en keerde vervolgens terug naar haar boek.

Aan het einde van de dag vloog het aantal opgeschreven woorden als handelswaar over tafel: '1400 woorden, stuk voor stuk steengoed en in de juiste volgorde.'

'Goed hoor, ik had een iets mindere dag, 300 woorden, maar ik kwam wel op deze zin', waarop papa een volgeschreven servetje ontvouwde en weer eens de nadelen van zijn slecht leesbare handschrift ondervond.

De woordenstrijd werd steevast gewonnen door Splinter. '4000 woorden!' In de ogen van de anderen glinsterde nieuwsgierigheid, maar gedeeld werden de teksten niet.

Ze vonden elkaar in het schrijven, romantiseerden er tezamen op los en poogden ieder op eigen kracht, gewapend met hun pen, de wereld het beste in woorden te vangen.

Ik hield me meestal afzijdig van de schrijversevaluatie. De afgelopen jaren had ik heus een boel woorden geschreven en gelezen, maar ik had geen brandende literaire ambities bij mezelf ontdekt. Er waren bij mij geen levenslessen in bewaring gegeven en er knaagden geen ongelukkige jeugdtaferelen die met een groter publiek moesten worden gedeeld.

Bril gaf blijk van haar aanwezigheid met lange, onafgebroken snurkgeluiden. Zoals het getik van een klok en het gebrom van een ijskast, zo behoorde ook het gesnurk van Bril tot het vaste achtergrondrepertoire. Bril was oud, meer moe dan wakker en zakte zo nu en dan door haar heupen. Toch wist ze zichzelf telkens weer op te lappen. Ik zag enkele van haar ouderdomstekenen terug in papa en mama. Ook hun stappen waren breekbaarder geworden.

Papa en mama hadden meer en meer last van haperende gewrichten en stokkende spieren. Ze schommelden met hun evenwicht. Zo nu en dan leunden ze eventjes tegen elkaar aan om op de been te blijven. Ook vielen ze vaker in herhaling.

'Storm?'

'Ja, pap.'

'Ik sprak Eveline van de CPNB gisteren. We hebben 28.000 woorden voor het Boekenweekgeschenk. Niet meer, niet minder. Daar moeten we het mee doen.'

'Ja, pap. Dat had je me al verteld. Dat zijn 4000 woorden per persoon.'

'O. Nou, daar moet het dus in gebeuren.'

Het liefst zou ik het leven in Zweden stopzetten, invriezen en zo vasthouden.

Toen Splinter en ik jong waren, wilden we ouder zijn. Tot mijn dertiende deelden we een slaapkamer en we hadden een methode gevonden waarmee we de tijd konden versnellen. We ontdekten de techniek toen we weer eens veel te vroeg wakker waren geworden op een stille zondagochtend. Met het hervatten van onze avonturen van de vorige dag zouden we papa en mama geheid wakker maken – wat een goed recept was voor een chagrijnige zondag. In plaats daarvan wisten we de tijd eigenhandig een zetje te geven door *rond te draaien*. Al liggend op onze rug rolden we met ons hoofd heen en weer over onze kussens. Diep in gedachten verzonken, gingen we met gesloten ogen ieder denkbaar avontuur aan. Terwijl we heldhaftig een kasteel verdedigden of een concert op het grootst denkbare podium gaven, werden uren minuten. Het wérkte. Voor we het wisten sprong de tijd de vroege ochtenduren voorbij en konden Splinter en ik met veel stampij onze avonturen weer in het echt beleven.

Later, toen we allang niet meer onze slaapkamer deelden, draafde de tijd veel te hard door. Er was geen houden meer aan. De ronddraaitechniek had goed gewerkt, té goed. De tijd haastte zich en liet zich – eenmaal op gang gekomen – niet meer tegenhouden.

Terwijl ik naar ons gezin keek, miste ik hier in Zweden toch iemand. Sinds vier jaar was ik verliefd op Fine. Met haar aanwezigheid zouden we pas echt compleet zijn. Gelukkig zou ze vandaag per trein in Lund arriveren.

De oranje hoedjes gingen af, de korte broeken en hemden werden ingeruild voor iets representatievers – was er dan toch nog enige vorm van aangepastheid bij ons te vinden? En in papa's favoriete auto, een Dacia Duster ('Wat een auto, hè?' 'Ja pap, gewoon een Dacia.' 'Gewoon? Het is een prachtige auto, jong.'), reden we naar Lund. Vlak voor vertrek bogen we ons over Bril, 'Tot zo, schat', gaven haar een kus en een knuffel, zeiden nog eenmaal 'Dag Brillie', in de hoop dat ze straks nog wist op te krabbelen.

Papa reed sneller dan de herfstwolken. Die bleven bij Bril, en in Lund scheen de zon. De studentenstad liet zich van haar beste kant zien, en zo ook wij.

Elke zomer deden we de stad aan: om iemand op te halen of om iemand af te zetten. Hoewel dit ook bij het dichterbijgelegen station van Sösdala kon, grepen we de kans om Lund te bezoeken met beide handen aan.

De eerste meters in de stad dronken we koffie en haalden we herinneringen op aan winkels, kerken en cafeetjes waar we de voorgaande jaren ook waren geweest. Vervolgens liepen we door de straten om te kijken of die winkels, kerken en cafeetjes aan de wandel waren gegaan. Elk jaar verloren we een of twee tastbare herinneringen: het ene jaar bleek de bakker opgedoekt, het andere jaar was de boekwinkel op zwart gegaan of het café onder het stof achtergelaten. Alleen de kathedraal van Lund verschoof nooit.

We liepen de kerk in. Er waren weinig mensen. Achter in de kathedraal stofte een schoonmaker de voeten van Maria af en veegde daarna Gods stof tussen de kerkbanken vandaan. Traditiegetrouw daalden we af naar de crypte, waar drie stenen figuren muurvast tegen de pilaren waren gemetseld: Finn de Reus, zijn vrouw Gerda en hun kind Sölve. Volgens de overlevering waren deze drie reuzen woedend geworden op een monnik die een afspraak niet was nagekomen. Ze hadden zich 's nachts om de pilaren gevouwen en geprobeerd de kathedraal omver te duwen, maar de tijd tikte door. De volgende dag werd het drietal verrast door de ochtendzon, die de crypte binnen was geslopen. In het zonlicht versteenden de reuzen. Zo hielden ze onbedoeld lang vast aan Lund en het leven.

Tijdens het vervolg van onze wandeling zagen we drie groepjes mensen stilstaan bij de grote eik op het marktplein. De leden van de groepjes praatten niet met elkaar, maar staarden voor zich uit en leken te wachten op een teken. Ze droegen zwarte capes en hadden zwarte maskers op. Ik kon mijn nieuwsgierigheid niet bedwingen en liep op een van hen af.

'Excuse me? Why are you all dressed like that?'

Ik zag een kleine schok door de gesluierde gestalte gaan. Schichtig keek hij om zich heen. Werd hij in de gaten gehouden?

'I am a student,' fluisterde hij, 'but I'm not allowed to talk.' Waarna hij opnieuw versteende.

Mijn broers doken een winkel in met talloze pennen, opschrijfboekjes en notitieblokken. Papa en ik gingen op twee ijzeren stoeltjes voor een kledingwinkel zitten, terwijl mama in dezelfde winkel naar tijdloze Zweedse mode zocht.

'Ik heb Eveline nog gesproken,' zei papa.

'Ja, pap?'

'Over het Boekenweekgeschenk.'

'28.000 woorden hebben we te besteden,' onderbrak ik papa, 'daar moet het in gebeuren.'

'O, wist je dat al?'

Ik keek naar papa en dacht aan de dagen waarop hij ons meenam de duinen en bossen in. Splinter achter en ik voor op zijn fiets. Sebas en Mau waren oud genoeg om zelf te fietsen. Tijdens een van de vele tochten over de Landgoederenroute wees papa naar een prachtige villa omgeven door water – 'Het huis van Sinterklaas, jongens!' – en verderop verklapte hij ons waar de Bokkenrijders zich schuilhielden.

Nu was papa te oud en wij te groot. Met zijn fantasie

konden we nog meegaan, maar ons op de fiets meenemen lukte hem niet meer. We zagen de duinen en bossen steeds minder.

Ik dacht ook aan de tochten naar podia, verspreid door het land. Met mijn broers speelde ik in de foyers van diverse theaters, terwijl papa en zijn vrienden de bühne warm speelden. On the road stopte papa altijd voor wat eten en vertelde hij onafgebroken over zijn avonturen. Avonturen met zijn nachtvrienden en de rock-'n-roll. Maar veel van zijn podiumvrienden waren er niet meer en de rock-'n-roll in papa verstomde.

Nu was alle tijd kostbaar. De tijd die hem nog restte, wilde hij besteden aan woorden die zijn vrienden en avonturen weer tot leven wekten, en uiteindelijk ook hem zouden overleven. Een schrijver met veel rock-'n-roll-vrienden is gedoemd eenzaam grijs te worden.

Even speelde ik met de gedachte papa na zijn dood naar zijn schrijverskamer te brengen. In zijn schrijverskamer zou hij het gelukkigst zijn.

'Kom pap, laten we bij de chocoladewinkel om de hoek iets lekkers halen. Mama is nog wel even bezig.'

Ik sprong op en wilde de straat uit lopen. Papa vouwde zijn lichaam moeizaam uit.

'Wacht even, jong. Ik ben niet zo snel meer.'

Mama stapte de winkel uit. Toen ik bij de hoek was, keek ik achterom. Papa en mama pakten elkaars hand vast, maar leken nauwelijks nog vooruit te komen. Tientallen jaren hadden ze hand in hand over de wereld gelopen. Nu draaide de wereld voor hen uit. Ze probeerden het leven bij te benen, maar hoe graag ik ook op hen wachtte, ik wist dat mijn toekomst elders lag.

Ik sloeg de hoek om, zag Fine staan en pakte – op mijn beurt – haar hand.

Handvast liepen Fine en ik met de wereld mee. Ik had een vermoeden van wat voor me lag, keek nog eenmaal om en wist nu ook wat achter me lag.

III

'Jongen,' meen ik in de wind te horen.

'Pap?' Ik kijk om, maar zie niks dan zee.

De storm tikt op mijn rug, blaast voor me uit en woelt om mijn benen op het strand van de Wassenaarse Slag. De stem van mama schiet aan me voorbij. 'Kus?' Het was onmogelijk het ouderlijk huis te verlaten zonder mama een kus te geven – maar hoe graag ik haar ook een afscheidskus zou willen geven, mama is er niet.

'Kom!' hoor ik Splinters stem door de wind dansen. Hij heeft ongetwijfeld een avontuur in gedachten waarvan ik onderdeel mag zijn, maar op het moment dat ik op hem afren, is er geen avontuur en geen Splinter.

Ik been verder. Even denk ik de lach van Sebas te horen, dan geroep van Mau, maar zodra ik dichterbij kom, stuift de wind weg. Ook zij zijn vervlogen.

De tijd waait aan me voorbij, maar ik plaats opa trefzeker in zijn stoel en breng mama terug naar Zweden. Papa begeleid ik naar zijn schrijverskamer.

Op zijn bureau strijk ik een servet glad en leg een pen klaar.

Mamastippen

'Je ging weg om te schrijven, in alle rust, toch?'

'Ja, maar ik heb een vrouw ontmoet, met wie ik nu een relatie heb.'

'Hoe bedóél je, wanneer heb je haar ontmoet?'

'Gisteren is ze komen eten, sperziebonen met pinda-saus.'

'En nu heb je een "relatie"?' zeg ik schaterlachend. 'Hoelang kennen jullie elkaar?'

'Ze komt al jaren naar al mijn optredens. Eigenlijk vooral naar Hermans optredens, maar die vond haar te lang.'

'Jezus, Bart, een groupie. Hilarisch.'

'Ja, maar ik weet het niet, Dibbes, ze houdt niet van Dylan en weet niet wie Mulisch was.'

'Jézus. En nu? Wij zijn getróúwd, Bartje, dit kun je me niet aandoen!'

'Ik moet uitzoeken wat ik verder wil met mijn leven.'

'Je ging daar toch alleen maar rustig schrijven?'

De hemel heeft een gitzwarte jas aangetrokken en is voorlopig niet van plan deze uit te trekken.

Dan word ik wakker uit mijn nachtmerrie. Ik voel naast me: hij is weg.

Ik schiet uit bed en loop de gang in. Dan zie ik Bart zitten, aan het bureau in zijn schrijfkamertje aan het einde van de gang. Hij heeft de schemerlamp aangedaan.

'Wat doe je, schat?'

Hij draait zich om. 'Schrijven,' zegt hij. 'What else? Ik kom er zo aan, Dibbes.'

Splinter Chabot

Estafette

In ons gezinshuis worden nog maar weinig kamers gebruikt. De deuren van de kamers waar we vroeger sliepen, de *Donald Duck* lazen, verstoppertje speelden of waarin we hutten bouwden, zijn dicht. Die tijden zijn weggewaaid, als herfstbladeren meegenomen door de wind.

Op de grote pingpongtafel waaraan we 's ochtends en 's avonds aanschoven voor het eten en onze boterhammen voor school smeerden, zijn nu hoge papieren torens verrezen. Een laagje stof verraadt dat het vergeten papieren zijn. Het grote huis wordt voor steeds kleinere levens gebruikt.

Ik logeer bij mijn ouders en loop door het huis, het huis waarin ik ben geboren. In de oude woonkamer op de eerste verdieping sta ik stil. Ooit stond mijn moeder hier op een ladder toen ze het huis net hadden gekocht. Ze kluste en boorde wekenlang terwijl ik in haar buik dreef.

'Daar is het fout gegaan,' zeg ik weleens. De trillingen van de boor hebben in mijn hoofd alles in de war geschopt.

Niet alleen het huis is veranderd. Hoe langer ik bij mijn ouders ben, hoe scherper ik het zie: de tijd heeft de schaakstukken in ons leven verzet.

Mijn vader en ik laten Bril uit. Ze is al meer dan twaalf jaar bij ons. Zwarte vlekken versieren haar witte haren. Met je vingers kun je verdwalen in haar vacht, en je even minder alleen voelen.

We lopen haar rondje door het bospark, in een rustiger tempo dan vroeger en zonder een tennisbal te gooien: Bril heeft daar niet meer de spieren en botten voor.

Papa en ik lopen naast elkaar, tot hij struikelt over een tak. Net op tijd weet ik zijn bovenarm te grijpen en hem overeind te houden.

'Voorzichtig, pap.' Voor de zekerheid houd ik hem nog even vast.

De wereld draait nog in hetzelfde tempo, de zon straalt nog even fel en de bomen fluisteren als altijd. En toch zie ik dat in dit ene moment weer een schaakstuk is verplaatst.

Altijd was het mijn vaders hand die míj veiligheid bood. Een hand die me naar school bracht, die me zachtjes ondersteunde toen ik leerde fietsen zonder zijwieltjes, en die me vaak genoeg overeind trok wanneer ik dreigde te vallen.

Mijn vader is de laatste jaren krommer geworden. Mijn moeder krijgt meer lijntjes in haar gezicht. En in het haar van beiden zie ik grijze strepen. Langzaam krijgt de tijd vat op hen en er is geen gummetje waarmee ik het ongedaan kan maken.

Als ik 's avonds naar boven loop, liggen mijn ouders al in bed. De trap kraakt precies zoals hij vroeger onder de voeten van mijn vader kraakte als hij naar boven liep en ik al in bed lag. Nu kom ik in het gekraak van de trap mijn vader tegen.

Het gebeurt de laatste tijd vaker dat ik ineens iets van mijn ouders in mezelf tegenkom. Als ik iets zeg, denk, een houding aanneem of op een bepaalde manier beweeg, blijkt dat er puzzelstukjes van mijn vader en mijn moeder in mijn lijf zitten. Het stelt me gerust: zo weet ik dat ze altijd bij me blijven.

Voorzichtig duw ik de slaapkamerdeur van mijn ouders open. Alleen het paddenstoellampje aan mijn moeders kant van het bed brandt nog. Ze is een boek aan het lezen. Mijn vader is al richting dromenland. Zijn gezicht heeft iets weg van dat van een molletje.

Ik ga op de rand van het bed zitten. 'Slaap lekker,' zeg ik tegen hen. En terwijl ik dat zeg, realiseer ik me opnieuw dat er iets is verschoven. Wat zij vroeger bij mij deden, doe ik nu bij hen.

Ik loop terug naar beneden en doe de laatste lichten uit. Bril ligt onder de keukentafel, haar favoriete plek. De tijd heeft ook haar te pakken gekregen. Grijze haren rondom haar snuit. Mist in haar ogen. Het zwart van haar vacht is doffer. Ik heb het gevoel dat ze tijd sprokkelt, zoals ze dat vroeger met takken uit het park deed. Haar heupen zijn versleten, haar lijf is traag, maar iets houdt haar nog hier, bij ons.

—

Het gaat niet goed met Bril. Bijna iedereen is naar huis gekomen: mijn broertje, mijn bijna oudste broer en ik. Mijn alleroudste broer woont in het buitenland; via onze mobiel houden we hem op de hoogte.

We staan rondom de keukentafel. Vroeger kon je Bril overal in huis tegenkomen, dan liep je een hoekje om en moest je oppassen dat je niet over haar struikelde. Het was altijd een verrassing waar ze zich bevond, als een cadeau dat opeens voor je lag. Soms denk ik dat Bril het erom deed: dat ze zich snel verplaatste als je even in een andere kamer was, zodat je daarna onmiddellijk weer op haar zou stuiten en haar verrast zou aaien.

Inmiddels ligt ze alleen nog onder de keukentafel. Haar wereld is kleiner geworden en ze toont geen behoefte die wereld weer groter te maken.

Ik aai Bril en hoop met elke streling over haar vacht een beetje van haar pijn weg te nemen. Vroeger dacht ik dat het werkte: dat door heel hard aan iets te denken, het ook echt zou gebeuren. Maar hoe hard en hoe veel ik haar ook aai, ze wordt niet energieker.

Gisteren wilde in het bospark een andere hond met haar spelen, maar Bril draaide weg, zakte door haar heupen en viel.

Haar vacht is nóg doffer en grijzer geworden. Alleen als je dicht bij haar bent en haar naam duidelijk uitspreekt, hoort ze je. Stukjes van haar zijn al vertrokken. Ze is steeds minder hier.

Het is middag en Bril moet uit. We leggen in de keuken en de hal kleden neer op de marmeren vloer, zodat ze niet bang hoeft te zijn om uit te glijden. Vroeger was ze nergens bang voor: elk huis kwam ze kwispelend binnen. Met haar snuit inspecteerde ze hoeken, tapijten, ruimtes en mensen.

Haar angst begon bij de vakantiehuizen in Zweden en Frankrijk, waar ze vloeren aantrof die ze niet kende. Ze liep erover alsof het ijs was. En juist doordat ze verstijfde, verhoogde ze het risico om uit te glijden.

Die angst nam ze mee naar huis. Eerst kwam ze niet meer bij de deur naar de woonkamer liggen. Vervolgens ging ze niet meer liggen in de gang. Zelfs de tuin werd een herinnering. Tot slot knipte ze ook de keuken in steeds kleinere stukjes op.

Ze bleef voortaan op dezelfde plek. Af en toe stond ze op, draaide wat en sliep weer verder. Soms zag je haar snuit bewegen, of haar poten rennen – ik hoopte dat ze in de dromenwereld deed wat ze in de echte wereld niet meer kon.

Nu moeten we haar uitlaten, terwijl ze gisteren door haar heupen is gegaan.

Moeizaam komt Bril overeind. Met haar ogen lijkt ze te vragen of het klopt wat ze doet. We moedigen haar aan. Zeggen dat het goed is. Dat als ze rustig loopt, er niks aan de hand is.

Maar Bril begrijpt het niet. Ze wil sneller dan ze kan. En ze glijdt in de keuken opnieuw uit.

Mijn broers en ik helpen haar overeind. We halen een badhanddoek onder haar buik door, zoals de dierenarts heeft aangeraden: zo kunnen we haar bij het lopen on-dersteunen. Mijn broers houden ieder een uiteinde van de handdoek vast, ik de riem. Ik loop voor Bril, zet klei-ne stapjes achteruit en houd mijn gezicht dicht bij haar snuit. Met mijn handen ondersteun ik haar borst, aai haar en houd haar tegen als ze te snel wil lopen. Langzaam stappen we naar buiten.

We lopen naar de rand van het bos, laten haar plassen, poepen en keren om. Nog steeds ondersteunen we haar met de handdoek.

Nu ze weer binnen is, onder de keukentafel ligt en nog wat uithijgt bij onze voeten, kijken mijn ouders, broers en ik elkaar aan. We weten dat het tijd is om afscheid van haar te nemen. Om te zeggen dat het goed is zo.

Met de dierenarts maken we een afspraak voor na het weekend.

De laatste dagen blijven we met z'n allen thuis. We zitten in de keuken, halen onze laptops tevoorschijn of de boeken die we nog willen lezen, en blijven bij Bril in de buurt. Geregeld duikt een van ons onder de keukentafel om haar te aaien.

Zelf ga ik het liefst onder de tafel zitten. Ik ervaar dan in welk decor Bril ons altijd ziet: de poten van de tafel, de onderkant van de stoelen, het witte marmer van de vloer dichtbij, en daarop onze voeten en benen. Misschien kent ze die lichaamsdelen het beste van ons, en is het zien ervan voor haar genoeg om rustig te worden. Dan weet ze dat we dicht bij haar zijn en kan ze haar hoofd op haar ene poot leggen, haar lijf een beetje opgerold. Zachtjes snurkend de dag door.

Op zondagavond laten we haar uit en brengen we haar naar de rand van het bos. Het is niet warm en niet koud buiten. Hoog in de lucht kijken een paar sterren mee, de maan houdt zich op de achtergrond.

Bril doet haar behoeftes, snuffelt wat en blijft dan staan. Ze staart recht het bospark in. Alsof ze er afscheid van neemt en ze nog één keer kijkt naar de bomen, de planten, en naar de wandelpaden waarover ze jarenlang heeft gerend.

—

Ik houd haar voederbak vast met haar laatste avondmaal. Van mijn moeder krijgt Bril haar lievelingseten, voer uit blik, aangevuld met restjes die we deze avond voor haar hebben overgelaten.

Buiten is het licht uit, maar we willen niet slapen. Zodra we naar bed gaan, zal de tijd gaan hardlopen en de volgende dag snel beginnen. En dan zal Bril nog maar even bij ons zijn.

Uiteindelijk moeten we eraan geloven. Mijn bijna oudste broer gaat naar huis. Mijn broertje aait Bril, zegt 'Tot morgen' en gaat naar boven. Mijn vader zet thee, zegt Bril gedag en klimt met zijn mok de trap op.

Mijn moeder gaat de badkamer in. Zij zal straks het licht uitdoen. Ik vermoed dat ze eerst nog even op het witte krukje naast Bril zal plaatsnemen.

Maar nu zijn Bril en ik alleen.

Ik ga naast haar op de grond zitten en leg mijn hoofd voorzichtig op haar buik. Ze is rustig, hijgt niet. Een paar minuten blijf ik zo liggen, op het zachtste kussen dat er bestaat. Ik kan haar goed horen; haar hart ruist alsof de zee in haar huist.

Ik wil Brils hart horen, omdat ik hoop dat mijn hart dan in hetzelfde tempo zal kloppen. Zodat we – al is het maar voor even – in hetzelfde ritme ademen, denken, leven.

Haar hart klinkt nog even krachtig als altijd.

Als ik in de deuropening sta, klaar om naar boven te gaan, kijken we elkaar lange tijd aan. Later lees ik dat als een hond je lang aankijkt, ze zegt dat ze van je houdt.

Als ik de volgende ochtend beneden kom, is het huis nog stil en leeg. Zelfs Bril lijkt nog te slapen. Ik sluip naar mijn vaste plek aan de keukentafel en wacht tot ze wakker wordt.

Iedereen druppelt de keuken binnen: mama, papa, mijn broertje, mijn bijna oudste broer en digitaal mijn oudste broer.

Ergens denk ik dat Bril het een beetje gek vindt, al die aandacht en al die handen. Af en toe kijkt ze verschrikt op. In haar ogen heeft ze de blik die ze had als we op vakantie gingen, wanneer de koffers en tassen een voor een naar beneden werden gebracht. Ze hield dan elke verschuiving in de gaten. Het leek altijd alsof ze bang was dat we haar zouden vergeten.

Ook nu heeft ze door dat er iets vertrekt, alleen weet ik niet of ze doorheeft dat zij het is.

—

De deurbel klinkt. De dierenarts en haar assistent zijn er.

Ze leggen ons uit wat er gaat gebeuren. In hun dokterstas hebben ze twee soorten prikjes: één prik waarmee Bril in een diepe slaap komt, waardoor ze niets meer zal voelen; de tweede prik is een overdosis van een slaapmiddel, dat direct in een van haar bloedvaten wordt gespoten. Haar hart zal stoppen met kloppen, nog voordat de spuit leeg is.

We nemen plaats op de grond, rond de snuit van Bril. Papa staat gebukt achter ons zodat hij Bril goed kan zien, en Bril papa.

'Aai haar maar goed,' zegt de dierenarts, 'dan geef ik Bril nu het eerste prikje in haar heup.'

Acht handen aaien Bril. Acht handen die haar hier willen houden. Veertig vingers verdwijnen in haar vacht: we kietelen haar, kroelen haar, aaien haar.

De dokter zet de eerste prik.

'Het is goed, lieve Bril, even flink zijn.' 'Dag liefie, geen zorgen.'

'Wij gaan even buiten staan,' zegt de dierenarts, 'zodat jullie afscheid kunnen nemen.'

We huilen. Snotteren. Ik knijp mijn ogen af en toe dicht om mijn tranen te laten vallen, zodat ik goed naar Bril kan blijven kijken.

Af en toe zie ik haar ogen langs onze hoofden gaan. Ze lijkt ons nog één keer te willen aankijken.

We blijven haar aaien, totdat de dierenarts weer binnenkomt. 'Ik denk dat we haar nog een extra prikje gaan geven, want blijkbaar wil ze nog niet gaan slapen.'

We moeten een beetje lachen: Bril laat zich niet zomaar in slaap sukkelen.

'Nu gaat het snel,' zeg ik tegen mijn broers, mijn ouders, maar vooral tegen mezelf.

De dokter staat weer in de tuin, wij zijn bij Bril. 'Dag lieve hond, dag Bril, we houden van je, het is goed zo.' Als een mantra blijven we die woorden herhalen.

Haar oogleden gaan hangen. De mist in haar ogen wordt dichter. Heel langzaam zakt haar hoofd naar beneden. Een klein stukje, meer niet.

We aaien en ondersteunen haar.

Dan zakt haar hoofd een stukje verder naar beneden.

'Het lijkt alsof ze de trap af loopt,' fluistert mijn oudste broer. Blijkbaar is de trap naar de hemel geen trap die naar boven gaat.

We fluisteren lieve woorden, houden onze handen bij haar snuit, zodat ze zeker weet dat we haar omringen.

Ze zakt nog verder weg, tot ze bijna bij de grond is.

Totdat ze niet verder weg kan zakken, omdat ze is geland. Haar hoofd ligt nu tussen haar poten, in de houding waarin ze zo vaak heeft gelegen.

'Ik ga nu het tweede middel inspuiten,' zegt de dokter. Uit de dokterstas haalt ze een fles met rode vloeistof. De ruimte vult zich met een zoete limonadelucht. Ik had nooit gedacht dat de dood zo zoet zou ruiken.

Langzaam wordt de rode vloeistof in het achterlijf van Bril gespoten.

Mijn vingers glijden over haar snuit.

Ik hoor papa zachte woordjes zeggen.

Bril gaat nog dieper ademen. Ze zinkt nog verder weg. Blijkbaar kun je verder dan ver weg zijn.

'Ik ga even luisteren,' zegt de dierenarts. Met haar stethoscoop duikt ze onder de tafel, richting de plek waar ik gisteren mijn hoofd liet rusten: het hart van Bril.

'Ze is er nog,' zegt de dierenarts.

'Ik ga haar toch een beetje extra geven.'

Ik beeld me in dat het rode spul vloeibare dromen zijn.

De dierenarts buigt zich over Bril en veegt met haar handen een stukje vacht uiteen. En prikt. De dromen gaan deze keer rechtstreeks Brils hart in. We horen haar adem stapjes achteruitzetten.

We zien hoe ze nog dieper wegzakt. Er lijkt geen einde aan de diepte te zijn. Ze wordt omhelsd door een eindeloosheid.

De dokter plaatst de stethoscoop weer op het hart van Bril, en schudt haar hoofd. 'Ze is er nog steeds,' zegt ze zachtjes, zonder verwijt.

'Een diehard,' fluistert de assistent.

We lachen. Ergens zijn we trots op Bril.

'Ik ga haar nog een laatste beetje geven.'

We aaien haar. Zeggen haar nog een keer gedag.

We zien hoe haar huid, waaronder ooit haar hart wild klopte, langzaam minder trommelt. Totdat het getrommel uitblijft.

Ze staat niet langer op de drempel; ze is gaan lopen, de andere kant op, bij ons vandaan.

'Volgens mij is ze weg,' fluistert mijn moeder.

'Ja, het is voorbij,' zegt de dierenarts. Precies op dat moment klinken buiten, in de verte maar toch dichtbij, kerkklokken.

Bril had het voor elkaar gekregen lang bij ons te blijven. Aanvankelijk jaren en maanden, maar de laatste tijd weken en dagen, tot er alleen nog uren over waren, minuten, seconden,

—

Op de keukentafel heeft de assistent van de dierenarts folders achtergelaten. Folders waarin staat wat je met je hond kunt doen als die is overleden.

We hebben de folders niet nodig: we weten al wat we willen doen. Misschien dat de ziel van Bril is gaan reizen, maar haar lijf blijft bij ons. Op haar lievelingsplek in de tuin hebben we al een kuil gegraven.

Nu ligt ze nog op haar kleed, in haar favoriete houding. Bij haar hoofd leggen we een handvol brokken.

'Ik zou graag een briefje aan haar willen schrijven, dat mee het graf in kan, jullie ook?' vraag ik. Ik ben bang het te vragen, omdat het stom voelt om een briefje te schrijven aan iemand die het nooit zal lezen. Maar ik weet dat als ik nu geen brief aan Bril schrijf, ik er spijt van zal krijgen. Gelukkig wil iedereen iets schrijven.

Alleen papa begint niet direct. Hij heeft de hele tijd afstand gehouden, vermoedelijk omdat hij ons de ruimte wilde geven. Maar nu wij aan het schrijven zijn, knielt hij bij haar neer. Hij aait Bril over haar bol en geeft haar een kus. Ik vind het ontroerend mijn vader zo te zien: voortaan moet hij in zijn eentje door het park wandelen. Hij is wat eenzamer geworden vandaag.

Ik maak een stapel van de briefjes, ga naast Bril zitten, til haar hoofd op, schrik even van het ontbreken van het leven in haar lijf, en schuif de briefjes onder haar koppie. Onze woorden zullen haar gezelschap houden.

—

Een paar uur later kom ik het atelier van mijn moeder binnen. Ze is een tas aan het maken – haar nieuwe hobby – maar zo te zien vooral tranen aan het verbergen. Haar ogen zijn rood, haar wangen vochtig en zoutig; haar tranen zijn nog steeds niet op.

Ik geef haar een knuffel en zeg dat we Bril hebben geholpen. Dat ze een fantastisch leven heeft gehad. En dat op deze manier vertrekken de beste manier is om te gaan.

Mama kijkt me aan. Ik maak me zorgen om haar. Zoals het met de heupen van Bril slecht ging, gaat het ook met mama's benen en rug slecht. Zoals Bril soms niet meer leek te weten waar ze was, zo schrijft mama op briefjes zaken die ze niet mag vergeten.

Na het begraven van Bril zijn we met het gezin gaan wandelen: het rondje van Bril, maar dan zonder Bril.

Halverwege had mama iets uit haar zak gehaald: de hon-denriem. Alsof de riem een stokje was dat Bril had door-gegeven.

Mama was niet het hele rondje meegelopen – daar-voor voelden haar botten te zwaar – en ze was eerder om-gekeerd.

'Toen ik vanmiddag in mijn eentje naar huis terug-liep,' zegt mama, 'kon ik maar aan één ding denken.'

'Waaraan dan?' vraag ik.

'Dat ik de volgende ben die jullie zal verlaten.'

Mamastippen

Vanuit mijn hok – mijn 'atelier', volgens Bart – zie ik op een prachtige juniavond Bart, Storm en Splinter de deur uit gaan nadat ze me enthousiast gedag hebben gezegd.

'Even Brils route lopen.'

Die vaste route lopen lukt mij niet meer, dus blijf ik thuis. Met Bril. Ook zij loopt niet meer, maar slaapt diep – diep onder de grond in de tuin. Toch hoor ik Bril af en toe geluidjes maken in de keuken en dan voel ik me niet alleen. De jongens wandelen nog steeds Brils loopje, twee keer per dag. Alsof ze haar niet willen loslaten.

Ik realiseer me dat ik Bril niet of nauwelijks heb uitgelaten, dertien jaar lang niet.

Destijds ging een langgekoesterde wens in vervulling: er kwam een hond. Een witte pup met zwarte vlekken, als een koe. Vrienden en bekenden hadden me gewaarschuwd: in het begin wil iedereen wat graag met haar wandelen, maar je zult zien, al snel ben je zelf de klos. Dus liet ik de jongens hun gang gaan.

Bril groeide en groeide en werd zo groot als een kalf. De jongens bleven met haar wandelen. Alleen als ik in het weekend ging hardlopen op het strand rende Bril met míj mee – steevast met een tennisbal, die ik eindeloos voor haar weggooide.

Steeds dacht ik: op een dag, als alle jongens de deur uit zijn, zal ik Bril in weer en wind moeten uitlaten.

Maar dat moment is nooit gekomen. Er was altijd wel iemand die dolgraag Bril uitliet – en bovendien ging wandelen me niet meer zo makkelijk af. De doodenkele keer dat Bril en ik samen de deur uit gingen, sjokten we als twee oude dames door het bospark.

En nu, als de mannen op pad gaan, zijn we samen thuis.

OVER DE CHABOTTEN

Bart Chabot (1954) is dichter en schrijver. Met de zeer persoonlijke roman *Mijn vaders hand* (De Bezige Bij, 2020) vestigde hij zijn naam als romancier. Daarna verschenen de eveneens autobiografische romans *Hartritme* (2021) en *Engelenhaar* (2023). Zijn verzamelde gedichten verschenen in *Greatest Hits*. Het werk van Bart Chabot is diverse malen bekroond.

Yolanda Chabot (1957) is fulltime arts. Naast haar werk startte zij in 2022 Atelier Splinteringen. Zij ontwerpt en maakt ringen, tassen en schoenen. Haar bijdrage aan dit Boekenweekgeschenk is haar debuut.

Sebastiaan Chabot (1989) volgde na zijn studie Geschiedenis aan de UvA de tweejarige master Creative Writing aan New York University. Hij studeerde af bij Jonathan Safran Foer met zijn debuutroman *De slaap die geen uren kent*, die werd genomineerd voor de Anton Wachterprijs 2020. In februari 2024 verscheen bij uitgeverij Atlas Contact de tragikomische roman *Olifantenpaadjes*, het eerste deel van de familiecyclus 'Iedereen is er nog'.

Maurits Chabot (1992) is historicus en schrijver. Hij werkt als redacteur bij *de Volkskrant*. In 2020 was hij coauteur van *Het papieren paleis* (Balans), een non-fictieboek over het rechtssysteem. In 2022 verscheen *Over de kloof* (Thomas Rap), over onwaarschijnlijke vriendschappen in conflictgebieden. Op basis van een van de verhalen in het boek maakte de EO een korte documentaire.

Splinter Chabot (1996) is schrijver, politicoloog en programmamaker. In 2020 debuteerde hij met *CONFETTIREGEN* (Regenboogboek aller tijden 2021 en 2022). Vervolgens verschenen *Roze Brieven* en *als de Hemel genoeg ruimte heeft* (Regenboogboek van het Jaar 2023). In 2021 was hij medeauteur van *3PAK*, het geschenkboek van de Boekenweek van Jongeren. Voor zijn werk ontving hij de Jillis Bruggeman Penning, de Bob Angelo Ster van de Toekomst en de Winq Culture Award. Michiel van Erp werkt aan een verfilming van *CONFETTIREGEN*.

Storm Chabot (1997) studeerde Klinische Technologie en Biomedical Engineering aan de TU Delft en werkte voor zijn afstudeeronderzoek aan een duurzame operatierobot. In 2021 begon hij Storm Unlimited, een atelier waar hij bijzondere meubels ontwerpt en ontwikkelt. Het verhaal 'Handvast' is zijn debuut.

Hond Bril (2010-2023) was een landseer en woonde bij het gezin Chabot in Den Haag. Zij is vernoemd naar Martin Bril. Brils bijdrage werd opgetekend door Splinter Chabot.

'Bij ons in de familie doen we een reading challenge.'

Meer én leuker lezen doe je natuurlijk met de Hebban
Reading Challenge. Weet je dat je met de nieuwe
Hebban App een leesuitdaging met je eigen familie kunt
aangaan? Creëer je persoonlijke challenge en daag je
familieleden uit om mee te lezen.

Scan de QR-code voor meer informatie en download de
gratis Hebban App vol leesinspiratie.